Escolha a grandeza

Escolha a grandeza

11 decisões que exigem coragem e força

GARY CHAPMAN
& CLARENCE SHULER

Traduzido por Celso Augusto Rimoli

MUNDO CRISTÃO

Os textos bíblicos foram extraídos da *Nova Versão Transformadora* (NVT), da Tyndale House Foundation, salvo indicação específica.

Edição
Daniel Faria
Revisão
Natália Custódio
Produção
Felipe Marques
Diagramação
Marina Timm
Colaboração
Ana Luiza Ferreira
Capa
Rafael Brum

CIP-Brasil. Catalogação na publicação
Sindicato Nacional dos Editores de Livros, RJ

C432e

Chapman, Gary D.
Escolha a grandeza : 11 decisões que exigem coragem e força / Gary Chapman, Clarence Shuler ; tradução Celso Augusto Rimoli. - 1. ed. - São Paulo : Mundo Cristão, 2022.
128 p.

Tradução de: Choose greatness
ISBN 978-65-5988-148-2

1. Adolescentes - Conduta. 2. Vida cristã. 3. Técnicas de autoajuda. I. Shuler, Clarence. II. Rimoli, Celso Augusto. III. Título.

22-78821 CDD: 248.4
CDU: 27-4

Gabriela Faray Ferreira Lopes - Bibliotecária - CRB-7/6643

Categoria: Autoajuda
1ª edição: outubro de 2022

Publicado no Brasil com todos os direitos reservados por:

Editora Mundo Cristão
Rua Antônio Carlos Tacconi, 69
São Paulo, SP, Brasil
CEP 04810-020
Telefone: (11) 2127-4147
www.mundocristao.com.br

Dedicado a todos os rapazes
dispostos a tomar decisões corajosas

Sumário

Introdução

Somos dois amigos que escreveram um livro juntos e cresceram no mesmo estado, mas vivemos em mundos muito diferentes. Eu (Gary) nasci de pais brancos. Eu (Clarence) nasci de pais negros. Nossos mundos se cruzaram quando éramos jovens, e nenhum de nós permaneceu o mesmo desde então. Ouvimos um ao outro, aprendemos um com o outro e enriquecemos a vida um do outro. Dito de outra forma, a vida que levamos é melhor por causa um do outro.

Embora venhamos de contextos diferentes, grande parte de nossa vida se assemelha. Ambos somos conselheiros, autores e palestrantes. Cada um de nós é casado e tem filhos. Acompanhamos nossos filhos ao longo da adolescência. Viajamos pelo mundo e tivemos livros traduzidos para muitos idiomas. Em resumo, ambos levamos uma vida grandiosa. Nossa definição de "vida grandiosa" é reunir o que se tem e usá-lo para enriquecer a vida de outros.

Acreditamos que você é capaz de enriquecer o mundo. É capaz de torná-lo um lugar melhor. Alguns de vocês podem se tornar grandes músicos, atletas, educadores, médicos, líderes empresariais. Podem usar essas habilidades para enriquecer o mundo. No entanto, você só alcançará todo o seu potencial se escolher a grandeza. Ou seja, se tomar decisões sábias.

Ao longo do livro nos referiremos a decisões sábias, e o que queremos dizer é a escolha de ser corajoso comprometendo-se a fazer o que é certo e melhor para você e também para as outras pessoas em sua vida.

Nosso coração se entristece quando estamos no consultório e ouvimos histórias de jovens adultos que tomaram decisões erradas durante a adolescência e agora estão tentando se desenredar das teias em que estão presos. Ou quando visitamos penitenciárias e conversamos com rapazes que ali se encontram porque tomaram decisões erradas.

Olhando em retrospecto para nossa própria vida, percebemos que muitas de nossas decisões mais importantes foram tomadas quando éramos adolescentes. Ao refletir sobre as centenas de pessoas que aconselhamos ao longo dos anos, ambos estamos convencidos de que as decisões tomadas entre as idades de 11 e 16 anos determinarão significativamente a vida que um homem experimenta depois de se tornar adulto. É por isso que escrevemos este livro para rapazes que se encontram nessa fase tão importante da vida.

Queremos ser honestos e dizer que, quando falamos sobre "decisões sábias", trata-se de decisões da maior importância. Descobrimos ao longo dos anos que as pessoas que visitam nossos consultórios em busca de aconselhamento são principalmente aquelas afetadas por decisões erradas. Elas tiveram a vida grandemente prejudicada por essas decisões.

Escrevemos com o profundo desejo de que você se mantenha longe do consultório e também da prisão, que evite doenças desnecessárias e que seja impedido de ferir as pessoas que mais o amam bem como a si mesmo. Em suma, queremos que você tenha uma vida grandiosa, e acreditamos que isso só pode acontecer se você escolher tomar decisões sábias.

Se pudéssemos nos sentar em um banco de jardim ou em uma cafeteria para ouvir sua história nós ouviríamos atentamente, pois acreditamos que você é extremamente importante e que em seu íntimo está o desejo não só de aproveitar a vida, mas também de tornar o mundo um lugar melhor do que você o encontrou.

Não temos dúvida de que você já descobriu que o mundo no qual nasceu é dureza. Nações declaram guerra umas contra as outras. Pessoas se agridem com raiva e se machucam mutuamente. Os sociólogos que têm estudado a cultura atual a denominam "cultura da discussão".[1] Para muitas pessoas, discutir é um modo de vida. Elas vivem tentando convencer as outras de que estão certas e os outros, errados. Se não ganham a discussão, acabam brigando entre si.

Estamos convencidos de que esse não é o caminho para uma vida grandiosa. Muitos de nossos jovens morrem antes mesmo de atingir a idade adulta, e outros tantos ficam marcados para o resto da vida pela dor que sofreram. Queremos comunicar que existe um caminho melhor. Dividiremos nossa intimidade e experiências de vida de quando éramos rapazes. Também compartilharemos o que aprendemos ao aconselhar pessoas ao longo dos últimos trinta anos.

Também o encorajaremos a encontrar um adulto de confiança a quem você possa fazer perguntas enquanto lê este livro — para começar, veja as questões de reflexão na seção "Pergunte a si mesmo" ao final de cada capítulo.

Esperamos que aprecie o que está prestes a ler, mas nosso desejo mais profundo é que você se junte a nós na tomada de decisões sábias. Vamos nos concentrar em onze decisões sábias que lhe proporcionarão uma vida grandiosa.

Gary Chapman e Clarence Shuler

1

Escolha buscar sabedoria nos pais ou em adultos confiáveis

A vida não foi feita para ser vivida em solidão. Nós, rapazes, precisamos da sabedoria de nossos pais e mães. Do contrário, talvez tomemos decisões com base apenas no que sentimos, e não em fatos. Quem sabe tomemos decisões destrutivas, encorajados por homens maus que nos escravizarão ao prazer deles. Milhares de rapazes são levados a uma vida de vício por traficantes e líderes de gangues que oferecem diversão e emoção, mas essas promessas nunca se baseiam na verdade. Vícios são sempre destrutivos.

No plano original, cada filho deveria ter um pai e uma mãe que se amariam e apoiariam um ao outro, criando os filhos com amor e sabedoria. Quando o plano é seguido, os filhos de modo geral crescem e se tornam adultos responsáveis e cuidadosos, que trabalham para tornar o mundo melhor. Isso provavelmente não só faz sentido imediato para você, mas além disso há muitas pesquisas que apoiam essa ideia, como você verá adiante.

Ainda assim, muitos filhos têm assistido ao divórcio de seus pais. Nem mesmo bons pais que amam profundamente seus filhos podem protegê-los o tempo todo de conflitos em casa. O dr. William Pollock, psicólogo de Harvard, descobriu que quando o pai não faz parte da vida doméstica, o filho muitas vezes sofre por falta de disciplina e supervisão, deixando de ter um modelo do que significa ser um homem.[1]

Outros filhos não conhecem o pai porque seus pais nunca se casaram. Milhares de crianças crescem em lares sem presença paterna.[2] Muitos filhos não chegam a conhecer o pai e não sabem o que é ser amados por ele. De acordo com o Centro Nacional para Crianças Pobres, rapazes sem pai têm "duas vezes mais chances de abandonar a escola", "duas vezes mais chances de acabar na prisão" e quatro vezes mais chances de precisar de tratamento para problemas emocionais e comportamentais do que os rapazes que têm pai.[3]

Ao relatar um importante estudo que analisou o desenlace da vida de crianças em praticamente todas as regiões dos Estados Unidos, o colunista do *New York Times* David Leonhardt observa que o segundo indicador mais importante da qualidade de vida (após a renda familiar) é o percentual de famílias em que apenas um dos pais está presente. "O efeito da estrutura familiar parece ser especialmente importante para os meninos", diz Leonhardt.[4]

Crianças em famílias em que só um dos progenitores está presente geralmente são criadas pela mãe, a avó, uma tia ou, em alguns casos, por pais adotivos. É por isso que acreditamos tão fortemente que todo jovem precisa ter um pai ou um substituto de pai em sua vida. Alguém disse: "Associe um menino ao homem certo, e ele dificilmente se dará mal". Queremos que você encontre o "homem certo". É por isso que o título deste capítulo é "Escolha buscar sabedoria nos pais ou em adultos confiáveis".

Os filhos não escolhem os pais. Nosso desejo é que todos os filhos tenham um pai e uma mãe que se amem e se comprometam a amá-los e educá-los. Como conselheiros, essa é a razão por que investimos nossa vida ajudando casais a aprender a amar-se e apoiar-se mutuamente, e a dar aos filhos o exemplo do que é um casamento saudável.

Quando você era criança, seu pai e sua mãe, ou alguém que serviu no lugar deles, tomavam decisões por você. Eles determinavam o que você comia e bebia, decidiam que roupas você vestiria e forneciam a cama na qual você dormia. À medida que você foi crescendo, passaram a permitir que você tomasse algumas decisões. Fizeram perguntas como: "Você gostaria de assistir a um filme ou jogar futebol?". Eles lhe deram escolhas entre opções seguras. Agora que você está mais velho, seus pais nem sempre estão ao seu lado. Você toma muitas decisões por conta própria.

A questão é: você tomará decisões sábias? É por isso que estamos escrevendo este livro. Queremos que você tome decisões sábias — decisões que lhe proporcionarão uma vida grandiosa. Enquanto é jovem, você precisa da sabedoria de adultos mais velhos. Supondo que você esteja numa cidade que conhece há pouco tempo, seria bobagem pensar que conseguiria se orientar nela melhor sozinho do que se tivesse ao seu lado alguém que vive nela há anos. Se você mora com seu pai e sua mãe, eles podem ser sua fonte de sabedoria. Eles não são perfeitos, mas provavelmente sabem mais sobre a vida do que você já descobriu até agora.

Se você não tem um pai em casa, como encontrar um homem de confiança? Sugerimos que, antes de tudo, você converse com sua mãe ou avó. Talvez elas conheçam alguém em quem confiem e que possa ser um modelo positivo para você. Pode ser seu tio, seu avô ou algum outro membro da família. O segundo lugar para encontrar um homem responsável é a igreja. Muitos homens que frequentam a igreja já tomaram decisões sábias na própria vida e estariam dispostos a ajudá-lo a tomar decisões sábias na sua vida. Novamente, sugerimos que você peça a sua mãe que o ajude a encontrar um homem em sua família ou na igreja. (Uma palavra para as mães que estejam lendo isto: sempre peçam a alguém que verifique os antecedentes de qualquer pessoa a quem você está pedindo para orientar seu filho.)

Se você ler e discutir este livro com seu pai, pai substituto ou adulto de confiança, isso o ajudará a tomar decisões sábias e ter uma vida grandiosa.

Eu (Clarence) tive a sorte de ter um pai. Em meus primeiros anos, meu pai me ensinou a importância do trabalho duro e da pontualidade. Mostrou como é essencial para um homem sustentar sua família, a despeito do sacrifício pessoal. Aprendi como tratar as mulheres observando como meu pai tratava minha mãe. Ele sorria quando ela o chamava de "favo de mel". Ele me ensinou o compromisso no casamento porque nunca abandonou minha mãe. Mamãe vivia dizendo: "Seu pai é um bom homem". E deve ter sido mesmo, porque ela não se casou novamente depois que ele morreu.

Uma das coisas que recordo meu pai dizer é: "Não importa quão rico ou pobre um homem seja, manter sua palavra mostra que tipo de homem ele é". Papai era um homem de poucas palavras. Ele nunca me disse: "Eu te amo, filho". Muitas vezes gostaria de ter ouvido essas palavras. Ele raramente, se é que o fez, me elogiava por minhas realizações. Quando eu tinha 15 anos, fiz parte do time de basquete de elite em um acampamento da Universidade Wake Forest e ganhei um troféu por atingir a maior marca de lances livres na minha faixa etária, tendo sido aplaudido de pé pelos outros competidores. Meu pai não disse nada, exceto: "Quer uma Coca-Cola?". Reclamei com minha mãe sobre meu pai não me amar. Ela explicou que ele me amava, sim, mas que o pai dele nunca tinha dito que o amava. E continuou: "É difícil para seu pai lhe dizer algo que nunca ouviu do próprio pai". E disse também: "Seu pai está muito orgulhoso de você, mas não sabe como lhe dizer isso". As palavras da minha mãe foram como música para meus ouvidos, e eu as recebi como verdadeiras. Mesmo assim, **mais tarde prometi a mim mesmo que, se me casasse e tivesse filhos, eu lhes diria que os amo com frequência.** Agora tenho três filhas e digo a elas todos os dias que as amo. Meu pai não era perfeito. Não quero repetir alguns de seus hábitos, mas sou eternamente grato por ele ter sido meu pai. Ele morreu quando eu tinha 20 anos de idade.

MEU PAI SUBSTITUTO

Quando eu tinha 14 anos, conheci Gary Chapman. Ele trabalhava como diretor de atividades para a mocidade numa igreja local. Meu amigo James e eu fomos a uma dessas atividades realizada num ginásio de propriedade da igreja. Gary iniciou seu relacionamento comigo entrando na quadra de basquete, que não era sua zona de conforto. Mas ele não estava ali para me impressionar com suas habilidades esportivas. Estava ali para me conhecer. Comecei a assistir às reuniões semanais dos jovens e a ouvir Gary ensinar. Mas o que mais me impressionou foi sua demonstração de interesse pessoal por mim. Senti que ele realmente se preocupava comigo e com minha vida. Ele foi a primeira pessoa fora da minha família imediata que expressou interesse pela minha vida. Eu não sabia dizer a razão, mas me sentia bem por ter um homem adulto preocupado comigo. Eu me achava o sujeito mais sortudo do mundo porque, entre os 14 e os 20 anos, eu tinha dois pais. Depois que meu pai morreu, Gary se tornou minha figura paterna. Ele tem sido como um pai para mim desde então.

Para cursar a faculdade, eu teria de me mudar da Carolina do Norte para Chicago, Illinois. Mesmo com essa distância tremenda entre nós, eu sabia que sempre poderia contar com Gary. Mantivemos o contato, e ele me ajudou nas despesas da faculdade. Quando me casei, pedi a ele que fosse meu padrinho. Minhas filhas agora o consideram seu avô, e ele as trata como suas netas.

Agora você sabe por que sinto tão fortemente que todo jovem deve ter um pai ou um homem de confiança em sua vida. **Precisamos da sabedoria de homens mais velhos.**

Eu (Gary) fui um dos que tiveram a bênção de ter um pai e uma mãe casados por 62 anos. Eles se amavam e amavam minha irmã e eu. Levavam os filhos à igreja todos os domingos. Garantiram que tivéssemos a oportunidade de participar das atividades dos jovens durante a semana. Meu pai não apenas frequentava a igreja, mas também buscava viver de acordo com os ensinamentos de Jesus. Ele acreditava que seu papel como pai era amar, apoiar e incentivar a esposa e os filhos. Além da família, era ativo na comunidade, investindo tempo, energia e dinheiro na vida de outras pessoas. Meu pai me ensinou a alimentar as galinhas, plantar e cultivar o jardim, cortar a grama, aparar arbustos e andar de bicicleta.

Meu pai trabalhava numa fábrica de tecidos, onde se produziam toalhas, lençóis e fronhas. A fábrica funcionava 24 horas por dia. Algumas pessoas iam trabalhar às 7h e saíam às 15h. Um segundo grupo trabalhava das 15h às 23h. E um terceiro grupo entrava às 23h, trabalhando a noite toda até às 7h do dia seguinte. Meu pai escolheu trabalhar nesse terceiro grupo. Ele fez isso porque queria estar em casa todas as tardes quando chegássemos da escola. Assim ele trabalhava a noite toda, dormia de manhã e acordava à tarde para passar conosco a tarde e a noite. Na época, eu não reconhecia o sacrifício que era aquilo. Mas, olhando para trás, fico profundamente grato por ele ter escolhido passar um tempo comigo e com minha irmã.

Quando me casei e tive um filho e uma filha, eu trabalhava na equipe da igreja, primeiro como líder de jovens e depois como conselheiro. Suponho que você não ficaria surpreso em saber que organizei minha programação de modo a estar em casa de tarde, quando meus filhos chegassem, e passar essas horas com eles todos os dias. Eu gostaria que todo jovem tivesse um pai dedicado. Contudo, **tenho plena consciência de que muitos rapazes não têm um pai assim**. É por isso que Clarence e eu acreditamos tanto que todo jovem que não tem pai em casa necessita de um homem forte em sua vida. Ainda que esse outro homem não possa passar tanto tempo com você quanto um pai que mora em sua casa, ele pode lhe ensinar algumas coisas, acompanhá-lo na prática de esportes ou música, ouvi-lo quando você precisar falar com alguém e ajudá-lo a tomar decisões sábias. **Não é sua culpa não ter um pai morando com você. Mas é sua responsabilidade conversar com sua mãe, avó ou adulto com quem você vive para que o ajudem a encontrar um homem de confiança que possa compartilhar sua sabedoria com você.**

O QUE APRENDEMOS COM NOSSOS PAIS E OUTROS HOMENS SÁBIOS

- Sempre cumpra o que promete.
- Reconheça que cada pessoa é importante e vale seu tempo e energia.
- Lembre-se de que o que importa na vida não é fama ou dinheiro. É saber usar suas habilidades para ajudar os outros.

- Ame as pessoas mesmo quando elas falham com você.
- Coloque Deus em primeiro lugar e busque seguir os ensinamentos de Jesus.
- Não sinta pena de si mesmo.
- Nunca se esqueça de que você é responsável por suas decisões e deve assumir as consequências.
- Sempre diga a verdade.

Esse é o tipo de coisa que um jovem aprende com um pai amoroso ou com outro homem sábio. No final de cada capítulo, fornecemos uma lista de perguntas que você pode fazer a si mesmo, a fim de ajudá-lo a entender melhor cada decisão e os efeitos dela em sua vida. Queremos incentivá-lo a não apenas fazer essas perguntas a si mesmo, mas também a seu pai, pai substituto ou adulto de confiança. Lembre-se de que a vida não é para ser vivida sozinho!

PERGUNTE A SI MESMO...

1. Como você descreveria seu relacionamento com seu pai, caso tenha acesso a ele? O que você aprecia nele?
2. O que você acha que fará diferente do que seu pai faz?
3. Se seu pai é ausente, como você se sente em relação a ele e por quê?
4. Como você descreveria seu relacionamento com sua mãe?
5. O que você gostaria de aprender com seu pai ou com outro homem?
6. Que tipo de pai você gostaria de ser?

2

Escolha buscar conhecimento por meio da educação

Você já ouviu o velho ditado "conhecimento é poder"? É um ditado verdadeiro. Não estamos falando de poder para dominar outras pessoas, mas de poder para ajudar as pessoas. O verdadeiro propósito do conhecimento é deixar o mundo um lugar melhor do que você o encontrou. Quanto mais você aprende, maior o impacto que sua vida terá. Se você aprender o que fazer se alguém for picado por uma cobra venenosa, terá o conhecimento capaz de salvar a vida de seu amigo quando estiverem acampando na floresta. O conhecimento faz toda a diferença.

Em minha casa (Clarence), estudar não era uma opção. Era a lei, e meus pais eram a polícia educacional! Eles viam a educação como uma maneira de minha irmã mais velha, Jean, e eu escaparmos da pobreza em que, na visão deles, vivíamos como família.

No entanto, aos 10 anos de idade, a escola não era minha ideia de diversão. Eu queria correr, explorar o bosque atrás de casa, jogar bola — qualquer coisa em vez de ir à escola. Sentar em uma carteira e ouvir um professor era incrivelmente entediante para mim. Jean, que só tirava notas altas, e o fato de meus pais sempre me compararem a ela, não tornou minha vida mais fácil. Eles esperavam que eu obtivesse todos os "As" possíveis, pois Jean havia conseguido. Eu não me ressentia de Jean, mas sim de sempre ser comparado a ela. Queria ser aceito em meus próprios termos, então comecei a tomar algumas decisões erradas, sobre as quais falarei mais à frente.

Outro menino de 10 anos que se sentia da mesma forma que eu em relação à educação foi o dr. Ben Carson. Ele hoje é um neurocirurgião reconhecido internacionalmente, tendo atuado como Secretário de Habitação e Desenvolvimento Urbano dos Estados Unidos. O dr. Carson lembra que, no quinto ano, seu professor e seus colegas tinham certeza de que, se ele fizesse um teste, não acertaria nenhuma pergunta. Ele também tinha um temperamento ruim e vivia brigando, às vezes até com a própria mãe. Certo domingo, quando estava na igreja, ouviu falar de um médico missionário, e isso se tornou seu sonho. Queria aprender como ajudar os outros. Decidiu tornar-se médico.

A mãe do dr. Carson, que era solteira, mudou a vida do menino. Devido a seu fraco desempenho na escola, ele teve de assumir as consequências de suas decisões. Sua mãe desligou a tevê e passou a exigir que ele lesse livros e escrevesse relatórios sobre o que lia. A princípio ele resistiu, preferindo ir brincar com os amigos. Depois, descobriu que os livros o estavam levando a lugares a que sua pobreza não lhe permitiria ir. Assim, começou a viajar pelo mundo lendo. Um de seus primeiros livros foi *Memórias de um negro americano*, uma autobiografia de Booker T. Washington, que nasceu escravo e ainda assim aprendeu a ler. Por meio do conhecimento, Washington melhorou e muito a vida de milhares de pessoas de sua geração.

O dr. Ben Carson também é afro-americano. Ele raciocinou que, se Booker T. Washington conseguiu, ele também conseguiria. De repente, ler se tornou divertido! O dr. Carson leu sobre animais, ciência, matemática, tecnologia, música e vários outros assuntos. Formou-se no ensino médio com honras, foi para a Universidade Yale e depois cursou medicina.

Aos 32 anos, tornou-se diretor de Neurocirurgia Pediátrica do Centro Johns Hopkins em Baltimore, no estado de Maryland. O dr. Carson recebeu a Medalha Presidencial da Liberdade. Escreveu livros e palestras compartilhando a história de seu sucesso. Ele disse: "Você tem a possibilidade de controlar seu destino, se estiver disposto a investir a quantidade necessária de tempo e esforço. E pense grande!". E disse também: "Deus deu a todos ao menos um talento. Sucesso é pegar o(s) talento(s) que Deus lhe deu e usá-lo(s) para elevar outras pessoas". Acreditamos que você gostaria de ler a história de sua vida no livro intitulado *Ben Carson: o menino pobre que se tornou neurocirurgião de fama mundial*.[1]

A habilidade fundamental para adquirir conhecimento é aprender a ler. A mãe do dr. Carson o colocou no caminho do sucesso ao exigir que ele lesse dois livros por semana e lhe entregasse um relatório escrito do que ele havia aprendido com esses livros. Uma vez que você está lendo este livro, presumimos que saiba ler. A questão é: você *está* lendo? **Está enchendo sua mente de conhecimento por meio da leitura de bons livros?** No final do capítulo, sugeriremos alguns livros que acreditamos que todo jovem deveria ler antes de completar 18 anos.

Recomendamos com insistência que, acima de tudo, você aprenda a ler. Encontre as oportunidades disponíveis em sua escola ou comunidade onde possa aprender a ler. Nada é mais crucial para o seu futuro do que desenvolver essa habilidade.

Quando minha irmã Sandra e eu (Gary) estávamos crescendo, nunca passou por nossa cabeça a possibilidade de abandonar o ensino médio. Meu pai terminou o ensino fundamental e depois deixou a escola para trabalhar na fazenda. Minha mãe abandonou a escola no penúltimo ano do ensino médio para trabalhar numa fábrica de tecidos a fim de ajudar no sustento da família. No entanto, eles insistiram que minha irmã e eu continuássemos na escola.

Quando terminei o ensino médio, tinha tanta sede de conhecimento que quis ir para a faculdade. Depois de terminar a faculdade quis fazer mestrado, e após isso tive a visão de lecionar em um *campus* universitário e sabia que precisava do doutorado. Então, terminei meu doutorado aos 27 anos. Recebi meu diploma e leciono dentro e fora do *campus* da faculdade há muitos anos. Minha área de interesse é casamento e relacionamentos familiares, e foi isso que me motivou a escrever este livro com Clarence.

Acredito que o desejo profundo da maioria dos rapazes é crescer, casar, ter filhos e ser um marido e pai responsável. Acredito que isso seja possível, e que as decisões que você toma entre os 11 e 16 anos afetarão profundamente sua capacidade de alcançar essa meta. **Se você escolher tomar as decisões sábias que estamos focalizando neste livro, estará no caminho certo para uma vida de grandeza.**

Minha (Clarence) jornada educacional não foi tão tranquila quanto a de Gary. Enquanto frequentava escolas predominantemente negras com professores negros que me estimulavam, eu era um aluno nota "B". Mas quando a integração me forçou a frequentar uma escola predominantemente branca no ensino médio, com professores brancos que não pareciam estar interessados em mim como aluno, minhas notas caíram drasticamente. Quase não terminei o ensino médio. Imaginava que meu passaporte para escapar da pobreza seria o basquete. A meu ver, eu tinha a oportunidade de obter uma bolsa universitária atuando como jogador voluntário, mas o treinador da faculdade conseguiu um emprego de técnico na NBA, e lá se foi meu voluntariado.

No entanto, para minha surpresa, fui aceito numa faculdade. Eu de fato jogava basquete, mas essa faculdade não oferecia bolsas esportivas. Devo admitir que estava bem mais interessado em basquete do que em estudar. No final do primeiro semestre do meu último ano, fui reprovado e jubilado da faculdade. Passei de uma possível estrela do basquete, parte da turma descolada, que tinha dinheiro no bolso e poderia namorar qualquer garota da escola, para um sem-teto e sem grana em menos de uma semana. Tudo porque me recusei a estudar e não pensava cuidadosamente no futuro. Fiz uma escolha estúpida.

Sabendo que minha mãe, agora sozinha, não tinha dinheiro para me alimentar, eu não disse a ela que havia sido jubilado na faculdade. Na verdade, não contei a ninguém. Estava muito envergonhado. Não sei como Gary descobriu, mas um dia ele ligou no apartamento do meu amigo Johnny, que me havia oferecido uma cama para dormir. Gary pediu para falar comigo, mas recusei. Gary disse a Johnny que, se eu não falasse com ele, ele pegaria um avião e apareceria lá no dia seguinte. Então, conversei com Gary. Ele me disse que estava desapontado, mas que ainda acreditava em mim, que aquilo não era o fim do mundo, que superaríamos aquela situação e que eu não estava sozinho. Foi ótimo saber que alguém ainda acreditava em mim, porque eu mesmo não acreditava.

Tentei conseguir um emprego como zelador na faculdade de onde fui jubilado, mas me recusaram. Meu amigo estava se mudando, então tive de sair também, e fiquei novamente sem casa por um breve período. Mas Johnny me ajudou a conseguir um lugar para ficar e trabalhar no Centro da Juventude Evangélica de Chicago, onde um homem chamado CoCo, um veterano da guerra do Vietnã e agora zelador, me deu um colchão. Eu dormia em um vestiário não utilizado.

Um tempo depois, consegui uma bolsa esportiva em outra faculdade e terminei meu bacharelado. Com a graça de Deus e o incentivo e a ajuda de Gary, obtive o título de mestre e posteriormente recebi um doutorado honorário. Desde então, tenho dado meu melhor tentando ajudar outras pessoas a descobrir o sentido da vida e obter conhecimento por meio da educação.

Acredito que, na vida, todos nós temos pelo menos uma chance de sucesso. Na maioria dos casos, haverá várias oportunidades, mas temos de aproveitá-las quando elas chegam. Permanecer na escola e ir para a faculdade são duas dessas oportunidades que estão ao seu alcance. Recomendo fortemente que você tome a decisão sábia de buscar o conhecimento através da educação

Buscar uma boa educação parece ser algo desencorajado em algumas comunidades hoje, especialmente por rapazes. Alguns dizem: "A educação não é a coisa certa a se fazer se você quer ser um homem de verdade. Você precisa ser diferente, fazer parte de uma gangue". No entanto, a maioria das pessoas que promovem essa mentalidade geralmente não completou o ensino médio. Portanto, não podem dar uma opinião abalizada. Eles estão simplesmente tentando atrapalhar os outros e usá-los como fantoches para seus próprios fins.

Quer uma prova? As gangues parecem não conhecer a seguinte pesquisa: a Agência de Trabalho e Estatística concluiu que o salário mensal de uma pessoa que abandonou o ensino médio (se conseguir um emprego) é de aproximadamente 2/3 do salário de alguém com ensino médio completo e 1/2 do salário de alguém com ensino superior.[2] A educação parece ser, no mínimo, um investimento financeiro eficaz.

Além disso, de acordo com a Agência de Trabalho e Estatística, os graduados têm probabilidade consideravelmente maior de conseguir emprego. A taxa de desemprego em 2017 nos Estados Unidos de pessoas sem diploma de ensino médio foi de 7,7%, em comparação com 5,3% de pessoas que têm diploma de ensino médio; a taxa de desemprego para graduados universitários foi de 2,5%.[3]

O Centro de Estudos de Trabalho e Mercado da Universidade Northeastern divulgou um relatório[4] mostrando que os moradores de Chicago entre 18 e 34 anos e sem diploma têm mais dificuldades familiares e de relacionamento do que aqueles que se formaram. Esse estudo também mostrou que os desistentes enfrentam uma probabilidade muito maior de acabar na prisão do que seus colegas graduados. Os homens têm uma taxa de encarceramento especialmente alta de 15%, em comparação com 2% das mulheres não graduadas. Falta de emprego, dificuldade para obter renda, falta de acesso e confiança limitada estão entre os fatores que contribuem para taxas mais elevadas de atividade criminosa entre os não graduados.

Então, por que despejamos todo esse conhecimento sobre educação, emprego e renda nos seus ouvidos? Para fazer um apelo sincero:

ESTÁ PENSANDO EM DEIXAR A ESCOLA? NÃO FAÇA ISSO!

Uma vez que abandona a escola, você acabará descobrindo que é muito pior estar fora dela. A princípio pode ser divertido, mas em algumas semanas a realidade dará as caras e você começará a sentir as limitações em sua vida devido à falta de formação. Eis os motivos que rapazes e moças nos deram para abandonar a escola:

- Não gosto de escola em geral, ou não gosto da escola que frequento.
- Estou indo mal, tiro notas ruins, não consigo acompanhar as atividades.
- Não me dava bem com os professores.
- Fui suspenso ou expulso.
- Não me sentia seguro na escola.
- Consegui um emprego e não dava para conciliar escola e trabalho.
- Casei ou engravidei.
- Tive problemas com drogas e álcool.

Entendemos os rapazes que se sentem assim. Mas acreditamos que existem adultos que gostariam de ajudá-lo e trabalhar com você na solução desses problemas. Esperamos que você tenha um pai ou outro homem com quem possa conversar sobre essas coisas, alguém que possa ajudá-lo a encontrar o caminho para o sucesso. Buscar ajuda não é sinal de fraqueza. É sinal de força. Não tente resolver essa situação sozinho, mas tente o seu melhor para não sair da escola.

Em muitos aspectos, permanecer na escola é a escolha de uma vida. Esforçar-se por alguns anos e ter opções de carreira no futuro valerá muito a pena. Se você, como eu (Clarence), acha que seu passaporte para sair da pobreza é o esporte, deixe-me lembrá-lo de que a porcentagem de atletas do ensino médio que chegam ao nível profissional é inferior a 1%. Digo isso não para desanimá-lo, mas para enfatizar que as chances de seus sonhos se tornarem realidade aumentam se você frequenta a faculdade.

Um benefício óbvio da faculdade é que você amadurece fisicamente. Ao praticar esporte de forma profissional, você disputará com homens adultos física e mentalmente maduros. Da mesma forma, quanto mais física e mentalmente maduro você for, maior será a probabilidade de sucesso. Ao não tirar proveito da educação, você pode estar, sem querer, limitando suas opções futuras de sucesso e realização. Se não está indo bem na escola, não significa que não terá êxito ou que é tarde demais. **Nunca é tarde demais para fazer algo bom.** Alcançar os objetivos dá trabalho. Não se iluda pensando que, se tira notas ruins agora, não conseguirá se sair melhor amanhã. Há professores que se importam e tutores capacitados, e até mesmo um colega estaria disposto a ajudar, se você pedir.

Depois de ser jubilado da faculdade, eu (Clarence) frequentei a escola noturna para melhorar minhas notas. Foi constrangedor, mas melhorei meu rendimento e outra faculdade me ofereceu uma bolsa esportiva de basquete. **Não existe isso de ser muito limitado para alcançar sucesso — só existe muito medroso, muito preguiçoso ou muito orgulhoso.** Lembra-se do dr. Ben Carson na quinta série? O dr. T. D. Jakes frequentemente diz: **"Você vai vencer se não desistir"**. Isso é universalmente verdadeiro em relação à educação e à vida. A decisão de buscar conhecimento por meio da educação é sua. Esperamos que você seja corajoso e escolha essa decisão sábia (e continue lendo!).

PERGUNTE A SI MESMO...

1. Como você se sente em relação a ir para a escola e por quê?
2. Você está tendo dificuldades na escola? O que é difícil para você?
3. Como você enxerga a ideia de pedir ajuda ao professor ou a um colega? Por que se sente desse modo em relação a obter ajuda com os estudos?
4. Qual é a atitude de seus pais ou de outros adultos quanto a receber uma educação de qualidade? O que seus amigos acham da escola?
5. É difícil para você estudar e fazer as tarefas em casa?
6. Neste ponto de sua vida, você tem um sonho que gostaria de realizar? De onde veio esse sonho?

TOME UMA ATITUDE

- Considere deixar de assistir a pelo menos um programa de tevê por noite ou por semana e passe esse tempo lendo um livro, como fez o dr. Ben Carson.
- Certifique-se de fazer exercícios físicos diariamente: caminhar, correr, praticar esportes etc.
- Gerencie bem seu tempo: afazeres domésticos, tarefas escolares, prática de esportes, atividades *on-line* e leitura.
- Se você ainda não tem um sonho, continue a ler sobre a vida de grandes homens e é provável que seu sonho apareça.

LIVROS QUE ACHAMOS QUE VOCÊ VAI APRECIAR

Ben Carson: o menino pobre que se tornou neurocirurgião de fama mundial
Ben Carson e Cecil Murphey

Memórias de um negro americano
Booker T. Washington

Cartas de um diabo a seu aprendiz
C. S. Lewis

As 5 linguagens do amor dos adolescentes
Gary Chapman

Ira! Aprenda a expressar esta emoção
Gary Chapman

Como fazer amigos e influenciar pessoas
Dale Carnegie

Radicalize: Um desafio para fazer diferença na adolescência
Alex e Brett Harris

3

Escolha fazer a tecnologia trabalhar a seu favor

Se você estudou história na escola sabe que houve um tempo em que não existiam carros, estradas, aviões, telefones, luz elétrica nas casas, televisão e, é claro, também não havia computadores ou *smartphones*. Pense em como era a vida! No entanto, naquela época havia rapazes que tomavam as decisões sábias que discutimos neste livro. Em contrapartida, também havia rapazes que tomavam decisões ruins e desperdiçavam a vida em atividades sem sentido e comportamentos destrutivos. Em cada geração há jovens que crescem e fazem do mundo um lugar melhor, e outros que deixam atrás de si um rastro de dor por causa de suas decisões ruins.

Neste livro nós o desafiamos a tomar decisões sábias. Neste capítulo, examinamos um desafio que as gerações anteriores nunca tiveram de enfrentar: a tecnologia. Tudo começou quando Thomas Edison inventou a lâmpada elétrica. Mais tarde, ele desenvolveu um sistema de geração e distribuição de energia elétrica para residências, empresas e fábricas — um desenvolvimento crucial para o mundo industrial moderno. Acabaram-se as velas e lamparinas. Agora, todo jovem podia ler um livro à noite porque havia uma lâmpada pendurada no teto de seu quarto.

Então Edison desenvolveu o fonógrafo, no qual músicas e palestras podiam ser gravadas e tocadas em uma máquina. Em seguida, veio o cinema.

A partir daí, assistimos a uma explosão tecnológica. Primeiro havia filmes mudos e nenhuma cor na tela: todas as cenas eram em preto e branco. Então veio o som e, em seguida, a cor. As salas de cinema se multiplicaram pelo país. Pouco depois, veio a televisão. Antes dela, as famílias se sentavam ao redor do rádio à

noite e ouviam música ou novelas. Aos sábados, eu (Gary) ia à casa do meu tio para ver televisão porque ele era o único na comunidade que tinha um aparelho. Sei que isso é difícil de imaginar no mundo atual, em que praticamente todas as casas têm uma televisão. Os noticiários noturnos nos permitiam ver e ouvir o que acontecia no mundo todo enquanto estávamos sentados em nossa sala de estar. Ainda não havia computadores nem telefones celulares. Isso viria mais tarde.

Agora o mundo está repleto de computadores, *laptops*, *tablets*, *smartphones*... Com essas novas descobertas tecnológicas, podemos passar cada momento do dia acompanhando eventos esportivos, ouvindo música, assistindo a filmes, adquirindo informações e enviando e recebendo mensagens de nossos amigos, incluindo fotos e vídeos. Sim, é um admirável mundo novo. As coisas são radicalmente diferentes em sua geração. É provável que você não se lembre do período anterior às mensagens de texto e às redes sociais. Mas esse é o seu mundo, e nele você tomará decisões sábias ou tolas. Nossa esperança é que tome decisões sábias a respeito da tecnologia — que você controle a tecnologia sem deixar que ela o controle.

Por meio da tecnologia você terá acesso ao mundo — tanto o que há de bom quanto o que há de ruim. Você pode passar seu tempo se divertindo com esportes, música e *videogames*. Ou pode passar seu tempo procurando aprender lições do passado e sonhar sobre como pode fazer do mundo um lugar melhor no futuro. Não há nada de errado com os esportes, a música e os *videogames*. Um pouco de entretenimento ao longo do caminho faz bem. Mas se você ficar obcecado com esses aspectos da tecnologia, perderá de vista as coisas que realmente importam na vida.

Em outros países do mundo, essa obsessão com o entretenimento levou ao que é comumente chamado de Transtorno de Adicção à Internet. Na China, Taiwan e Coréia do Sul, até 30% da população pode estar viciada em internet.[1] Quando se viciam em *videogames*, os jovens não conseguem resistir ao impulso de jogar, mesmo que isso perturbe sua alimentação, seu sono, as tarefas escolares e a relação com a família ou os amigos. Nossa esperança é que você não caia nesse tipo de vício.

O corpo humano e o cérebro precisam de tempo para relaxar, fazer exercícios físicos, dormir e conversar com a família e os amigos. O neurocirurgião Ben Carson, que conhecemos anteriormente neste livro, disse certa vez: "Não deixe ninguém transformá-lo em um escravo. Você será um escravo se deixar que a mídia lhe diga que esportes e entretenimento são mais importantes do que desenvolver o cérebro".[2] Seu cérebro tem milhões de neurônios esperando para ser nutridos e desenvolvidos. Você escolhe como alimentar seu cérebro.

APROVEITE A TECNOLOGIA AO MÁXIMO

Então, como você usa a tecnologia visando enriquecer sua vida e equipar-se para alcançar seu potencial para o bem no mundo? Esperamos que esta seja uma questão que você possa discutir com sua mãe ou seu pai. De todo modo, gostaríamos de lhe dar algumas sugestões.

Use a internet para encontrar informações rapidamente. Você quer saber quando Thomas Edison viveu? Procure no Google seu nome e imediatamente encontrará não apenas os anos em que ele viveu, como também o que ele realizou. Gostaria de saber quando a lâmpada foi inventada, ou quando o primeiro computador foi inventado? Procure no Google e rapidamente descobrirá. Tem dúvidas sobre carros, trens, aviões ou motocicletas? Em um instante você pode acessar na internet todas as informações que desejar sobre esses assuntos. Quando tínhamos sua idade e ficávamos curiosos sobre esses assuntos, precisávamos ir à biblioteca pública e procurar no catálogo para encontrar livros que respondessem às nossas perguntas.

No mundo atual você encontra essas informações simplesmente apertando alguns botões ou perguntando a seu telefone celular em viva voz. Você vive em um mundo incrível de informações instantâneas. Use a tecnologia para obter informações sobre praticamente qualquer assunto no qual tenha interesse. Você pode ser a pessoa mais brilhante de sua escola simplesmente fazendo uso da vasta informação disponível na internet. Como é que as abelhas fazem mel? Quantos de seus amigos podem responder a essa pergunta? Você pode aprender isso rapidamente na internet.

Use a internet para ajudá-lo nas tarefas escolares. Nunca se contente em apenas ler o material recomendado ou resolver o problema de matemática que o professor passou. Pesquise *on-line* e tente aprender algo mais sobre o assunto ou o problema de matemática. **Vá além do esperado.** Não procure somente obter uma nota mediana. Tente dar seu melhor. É muito mais proveitoso fazer isso do que apenas consumir mais entretenimento na televisão ou no computador. Thomas Edison disse: "Se fizéssemos todas as coisas de que somos capazes, ficaríamos literalmente espantados".[3] Durante esses anos, seu cérebro é capaz de processar mais do que você pode imaginar. Não deixe seu cérebro passar fome. Veja suas tarefas escolares não como um dever ou exigência, mas como uma aventura de aprendizado.

Use o celular para manter contato com a família e os amigos. O telefone celular é normalmente o primeiro passo para entrar no mundo dos telefones móveis. Trata-se de um telefone portátil capaz de fazer e receber chamadas através de uma ligação de radiofrequência enquanto o usuário está se movendo dentro de uma área de serviço celular. Nos estágios iniciais de desenvolvimento, não existiam *smartphones*, apenas celulares. Antes do telefone celular, não era possível fazer chamadas de um campo aberto ou da calçada. Era preciso estar dentro da casa falando em um telefone ligado às linhas telefônicas fora da casa.

Os telefones celulares foram um enorme passo à frente nas comunicações. Seus pais provavelmente já tomaram a decisão de lhe dar ou não um celular. Os pais diferem quanto à idade em que escolhem dar um celular a seus filhos. Essa é uma decisão deles, porque há uma cobrança mensal pelo uso do telefone celular e a maioria dos jovens de sua idade não dispõe de renda que lhes permita pagar essa mensalidade. Portanto, você deve honrar as decisões de seus pais.

Entretanto, se seus pais lhe deram um celular, você pode utilizá-lo para ficar em contato com eles. Diga-lhes onde você está e o que está acontecendo. Se você tiver problemas, use o aparelho para ligar para eles. Quando você tem um celular, seus pais têm paz de espírito por saber que estão apenas a uma chamada telefônica de você caso haja algum problema.

Seus pais também podem ligar para você no celular. É um sinal de respeito atender quando eles ligam, não importa o que você esteja fazendo. Eles provavelmente não vão ligar no meio de sua aula na escola, mas podem ligar depois do horário escolar para saber onde você está e o que está fazendo, ou se tiverem algo importante para lhe contar. Essa capacidade de ligar e conversar com os pais onde quer que você esteja é uma enorme vantagem na construção de relacionamentos fortes e saudáveis.

Você também pode ligar para amigos e outros membros da família usando seu celular. Trata-se de uma ferramenta a ser usada para desenvolver relacionamentos com amigos e familiares.

***Tire o máximo proveito de seu* smartphone.** Um *smartphone* é um computador pessoal móvel que você pode segurar nas mãos. Em um *smartphone* você pode fazer e receber chamadas de voz ou vídeo, criar e receber mensagens de texto, contar com assistência pessoal digital, organizar eventos, ter tocadores de mídia, *videogames*, navegação por GPS, câmera digital e câmera de vídeo digital. Basicamente, o *smartphone* coloca à sua disposição todas as funções de um computador. É um grande avanço em relação ao telefone celular. Mais uma vez, os pais diferem sobre qual é a idade mínima suficiente para um jovem receber um *smartphone*. Recomendamos novamente que você honre a decisão deles. Afinal de contas, são eles quem pagam as mensalidades do *smartphone* e, sendo pais, são responsáveis por fazer o que acham melhor para você.

Se você tem um *smartphone*, use-o para enviar mensagens de texto e fotos para sua família e amigos. Quando eu (Gary) estou viajando e vejo algo que, a meu ver, meus netos apreciariam, tiro uma foto e a envio com uma mensagem de texto para minha neta, que tem 18 anos, e para meu neto, de 16. Eles sempre respondem imediatamente. Embora estejamos a quilômetros de distância, nós nos contatamos e dizemos que estamos pensando um no outro. **Mensagens de texto são mais bem usadas para enviar breves comentários sobre assuntos não ligados a questões afetivas**. Não é a melhor forma de discutir uma

questão sobre a qual há um conflito. É melhor fazer isso numa conversa frente a frente.

Use videochamadas para conversar com familiares e amigos quando você quiser vê-los. Mais uma vez, essa é uma tecnologia incrível para ser usada quando os membros da família estão distantes uns dos outros. Se você tem uma irmã ou irmão mais velhos na faculdade, pode falar com eles e vê-los ao mesmo tempo. Isso também vale para os avós que estão conversando e olhando para os netos numa conversa normal. Essa tecnologia tem papel positivo no desenvolvimento das relações familiares.

Use o Facebook, o Instagram e outras plataformas de mídia social para compartilhar fotos e comentários sobre assuntos que são importantes para você. No entanto, tenha em mente que aquilo que você postar nas mídias sociais irá para todos os seus amigos dessas redes. É muito diferente de enviar uma mensagem de texto para um indivíduo. Seus amigos das redes sociais podem compartilhar o que você postou com o círculo de amigos deles. Assim, o que quer que você poste nas redes sociais pode, em última instância, ir para milhares de pessoas ao redor do mundo. Portanto, tenha extremo cuidado com o que posta nas redes sociais. Se há alguém no mundo que você não quer que veja o que você está postando, então não poste. Tuítes, mensagens curtas ou breves que você envia para sua rede no Twitter, também têm o potencial de correr o mundo todo. Mais uma vez, **tenha muito cuidado com o que tuíta.** Não tuite algo que possa ferir outra pessoa ou envergonhar você. Mesmo mensagens temporárias e privadas em serviços como o SnapChat, que prometem apagar sua mensagem logo após o destinatário pretendido a ver, podem ser retidas e compartilhadas com outras pessoas se o destinatário fizer uma captura de tela da mensagem com o celular dele. Assim que você enviar ou compartilhar alguma palavra, imagem ou vídeo, essa postagem estará fora de seu controle. Tenha cuidado com o que compartilha!

Em resumo, o uso positivo da tecnologia é duplo. Primeiro, para aumentar seu conhecimento de história, ciências, matemática e do mundo ao seu redor. E segundo, para melhorar os relacionamentos com família e amigos. Quando usada para esses dois fins, a tecnologia é extremamente útil. Uma terceira finalidade positiva da tecnologia, se usada com moderação, é para entretenimento pessoal: música, esportes, filmes e jogos.

Use *e-mails* para fazer perguntas que exigem respostas mais longas, ou para comunicar informações extensas. Eles podem ser usados para compartilhar com familiares e amigos algo que está acontecendo em sua vida e que você quer que eles saibam. Um *e-mail* é basicamente uma carta que é comunicada de imediato e entregue sem selo postal. Antes dos computadores, nós escrevíamos cartas à mão, enviávamos pelo correio e elas eram entregues três ou quatro dias depois. A expectativa era que talvez em uma ou duas semanas recebêssemos a resposta. O *e-mail* elimina o intervalo de tempo entre o envio da informação e o recebimento da resposta. Isso melhorou muito o processo de comunicação.

OS PERIGOS DA TECNOLOGIA

Seria ruim se não o advertíssemos sobre os perigos do mau uso da tecnologia. Aqui estão alguns dos mais comuns.

A tecnologia dá acesso a informações imprecisas e inapropriadas. Muitas coisas que as pessoas publicam na internet sobre vários assuntos simplesmente não são verdadeiras. Qualquer pessoa pode dizer o que quiser sobre qualquer assunto sem dar nenhuma evidência de que o que diz é verdade. Portanto, não suponha que o que você leu publicado pelos outros no Facebook ou em outros *sites* é sempre verdade.

Além da desinformação, há também informações inapropriadas. A internet está cheia de pornografia e *sites* sexualmente inapropriados. Tais *sites* podem se abrir em uma janela *pop-up* quando você estiver usando a internet para fins totalmente legítimos. E é extremamente fácil ser desviado por esses *pop-ups* e visitar *sites* que o levarão a um estilo de vida destrutivo. Discutiremos isso mais tarde no capítulo sobre pornografia.

O ***bullying* virtual** tem se tornado um problema crescente no mundo da internet, particularmente entre rapazes de sua idade. Fazer comentários negativos e aviltantes sobre (ou destinados a) outra pessoa *on-line* é sempre inapropriado. Minha

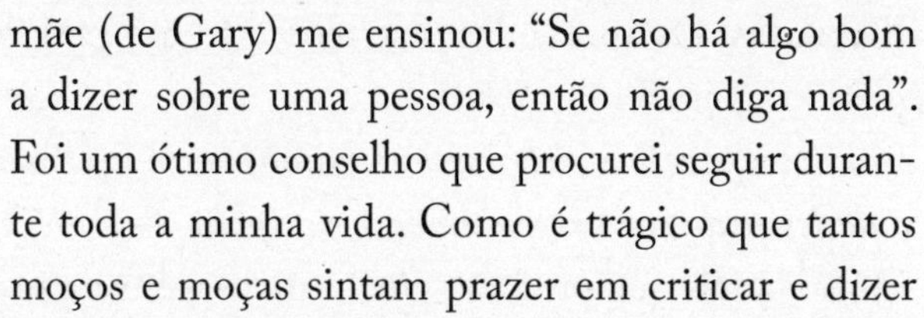

mãe (de Gary) me ensinou: "Se não há algo bom a dizer sobre uma pessoa, então não diga nada". Foi um ótimo conselho que procurei seguir durante toda a minha vida. Como é trágico que tantos moços e moças sintam prazer em criticar e dizer coisas negativas sobre os outros. Recomendamos que você não participe de tal atividade. Se alguém o intimidar na internet, compartilhe com seus pais e deixe que eles o ajudem a lidar como problema.

Além disso, em um capítulo posterior falaremos sobre ***sexting***, a prática de enviar fotos inapropriadas para outra pessoa eletronicamente. Um pensamento adicional sobre *sexting*: aqueles que participam disso tendem a encorajar os amigos a fazer o mesmo, procurando comunicar a ideia de que "todos estão fazendo". O fato é que *não* são todos, e aqueles que estão fazendo certamente se arrependerão. Muitas garotas disseram: "Eu fiz isso como uma brincadeira, mas meu namorado compartilhou a foto com todos os amigos dele e agora estou totalmente envergonhada". Recomendamos que você nunca peça a uma jovem que lhe envie uma foto inapropriada dela. É humilhante para ela e não retrata o que há de melhor em você. Por outro lado, nunca envie nenhum *nude* seu para ninguém. Lembre-se, isso causará grande constrangimento no futuro. Em alguns lugares, o *sexting* é um delito grave.

Outro perigo no uso da internet é que, enquanto você estiver procurando informações relevantes, você verá com frequência outros assuntos aparecerem na tela. É fácil se distrair com tais assuntos. Se você desenvolver o hábito de seguir esses *pop-ups*, estará perdendo tempo e desviando sua atenção do motivo pelo qual buscou a internet. **Concentre-se nas informações que está buscando e não se distraia em cinco ou seis assuntos diferentes**. Os apelos das distrações são um perigo muito real quando se usa a internet.

Usar aparelhos eletrônicos enquanto está fazendo outras atividades pode ser extremamente perigoso — e até ameaçar sua vida. Há leis que proíbem enviar mensagens de texto e dirigir, ou falar ao celular e dirigir. Também pode ser extremamente perigoso usar seu *smartphone* enquanto você desce escadas ou atravessa uma rua movimentada. E usar o celular enquanto mantém uma conversa com outra pessoa é algo extremamente desrespeitoso com ela. Passa a mensagem de que quem está lhe enviando mensagem ou ligando é mais importante do que a pessoa que está de fato diante de você. Não é assim que se constrói uma amizade sólida.

Eis um perigo oculto em que nem sempre pensamos: ***achar que devemos responder imediatamente a cada chamada, texto ou*** **e-mail** ***que recebemos.*** É essa atitude que muitas vezes nos leva a interromper uma conversa com um amigo para responder a um telefonema ou uma mensagem de texto. Uma das vantagens do *smartphone* é que o interlocutor pode deixar um recado de voz que você pode ouvir mais tarde. Você também pode responder à mensagem ou *e-mail* mais tarde. Não devemos permitir que a tecnologia controle nosso comportamento. Nem devemos deixar que chamadas telefônicas, mensagens de texto e *e-mails* nos forcem a responder de imediato. Isso é anormal e indica que estamos no caminho do vício em celular.

Finalmente, podemos nos tornar tão viciados em nossos aparelhos que não conseguimos construir as habilidades necessárias para desenvolver relações humanas sólidas. Essas habilidades envolvem empatia ao ouvir outras pessoas. Empatia é tentar ouvir o que os outros estão dizendo e o que estão sentindo, para que possamos conhecê-los mais intimamente e lhes dar uma resposta útil. Envolve olhar as pessoas nos olhos quando elas estão falando e iniciar conversas quando estamos perto dos outros. Quando não conseguimos desenvolver essas habilidades, acabamos nos isolando. Estamos nos tornando um povo preso a um aparelho eletrônico, com poucas relações significativas com as outras pessoas. No mundo adulto, o sucesso está sempre ligado aos relacionamentos. As pessoas que não conseguem desenvolver relações positivas, significativas e face a face no local de trabalho muitas vezes perdem o emprego e acabam indo de um emprego para outro ao longo da vida. Eis uma regra vital, não importa quão moderna seja a tecnologia: **pessoas são sempre mais importantes que aparelhos**.

Anteriormente neste capítulo, mencionamos o Transtorno de Adicção à Internet. Infelizmente, isso se tornou um problema comum entre os rapazes e as garotas de nossa cultura. Quando um jovem passa todo o seu tempo livre jogando *videogames*, assistindo a vídeos no YouTube ou navegando na internet, sem destinar tempo para ler livros, envolver-se em recreação, dormir bem e construir relacionamentos sólidos, ele adquire um hábito que será difícil de quebrar quando for mais velho. O jovem que joga *videogames* em todo o seu tempo livre, quando se casar terá uma esposa extremamente infeliz com seu comportamento. É por isso que achamos este capítulo tão necessário. Aprender a controlar o uso de aparelhos eletrônicos e não permitir que eles controlem sua vida é uma decisão extremamente importante que terá grande impacto em seu futuro. Recomendamos que você faça a tecnologia trabalhar a seu favor, ajudando-o a alcançar seu potencial por meio da obtenção de conhecimentos e *insights* que aperfeiçoarão a sua vida e a dos outros.

PERGUNTE A SI MESMO...

1. Que programas de televisão você mais aprecia? Por quê?
2. Registre quantas horas você passa diante da televisão (incluindo Netflix, etc.) nesta semana. Você acredita que assiste à televisão demais? E quanto aos *videogames*? Que atividade mais relevante você poderia estar fazendo?

   Se você tem acesso a um computador, ou *tablet* ou *laptop*, como você o usa?

   Tarefas escolares ___

   Busca de informações ___

   Tempo nas redes sociais ___

   YouTube ___
3. Você tem acesso a um *smartphone*? Como você o usa?
4. Você acha que gasta tempo demais com tecnologia? Por quê?
5. O uso que você faz da tecnologia está afetando seu sono?
6. Se você dispõe de tempo livre, como o emprega?
7. Você precisa mudar o modo como usa a tecnologia?

4

Escolha ser bem-sucedido: trabalhe duro

O que as pessoas de sucesso fazem? Elas *trabalham* para isso! E dão duro. Nenhum atleta de sucesso chegou lá sentado no sofá vendo televisão ou jogando *videogames*. Provavelmente ele praticou seu esporte no ensino fundamental, no ensino médio e na faculdade antes de se tornar profissional. Músicos bem-sucedidos passam horas praticando seu instrumento. Homens e mulheres que têm negócios de sucesso passam anos trabalhando duro. Nada chega até o homem que é ocioso.

Nunca se é jovem demais para aprender a trabalhar. Na verdade, se você não aprender a trabalhar durante a adolescência, talvez nunca alcance todo o seu potencial.

Se você é adolescente ou pré-adolescente, os melhores lugares para trabalhar são em casa e na escola. Espero que seus pais lhe tenham dado certas responsabilidades em casa: manter o quarto limpo, lavar a louça, limpar o banheiro, alimentar o cachorro, levar o lixo para fora, ou outros afazeres. Se eles ainda não fizeram isso, sugiro que lhes pergunte: "O que posso fazer para facilitar a vida de vocês?".

Na escola, o primeiro lugar para trabalhar é na sala de aula. Demonstre entusiasmo quando seu professor lhe der uma tarefa. Depois das aulas, faça seus deveres de casa antes de ver tevê ou jogar *videogame*. Uma vez que trabalhou duro para completar todas as tarefas, poderá encontrar lugares adicionais para trabalhar na escola: esportes, teatro, música ou outras atividades semelhantes. O que quer que você faça, trabalhe duro e dê o melhor de si.

Nos últimos anos de adolescência, você talvez tenha a oportunidade de trabalhar por dinheiro. Quem sabe seus pais lhe paguem para fazer tarefas que vão além de suas responsabilidades normais. Você também pode cortar a grama ou limpar o quintal com uma pá para um vizinho que lhe pagará por ajudá-lo. O adolescente que procura trabalho de meio período geralmente encontra um.

Na faculdade muitos estudantes trabalham em tempo parcial para a universidade a fim de ajudar a pagar por sua educação. E, se você se casar quando for adulto, deverá trabalhar para sustentar sua esposa e filhos.

Quanto antes você tomar a decisão de ser um trabalhador dedicado, mais chances terá de alcançar sucesso na vida. Planeje agora ser alguém que doa, não alguém que toma. Trabalhe duro para que possa dar àqueles que não podem trabalhar. Abraham Lincoln disse: "Não se pode construir caráter e coragem tirando a iniciativa e a independência do homem. Não se pode ajudar os homens permanentemente fazendo por eles o que eles poderiam e deveriam fazer por si mesmos".[1]

Esperamos que você decida desde já aceitar o conselho de Abraham Lincoln. Se não tiver condições de frequentar a universidade, faça um curso técnico ou uma escola profissionalizante. Muitos cursos oferecem aulas *on-line*. Desenvolva uma habilidade e consiga um trabalho, ou junte-se aos militares para servir a seu país. Rapazes bem-resolvidos planejam trabalhar duro para desenvolver suas habilidades, tornando o mundo um lugar melhor.

Infelizmente, eu (Clarence) não tomei essa decisão cedo o suficiente. Minha mãe dizia: "Você é a criança mais preguiçosa que já vi". Ela ficava enfurecida comigo quando me via tentando escapar dos trabalhos de casa. Eu respondia: "Não sou preguiçoso, só não gosto de trabalhar". Mas ela estava certa. Eu não gostava de nenhum tipo de trabalho.

Meus pais cresceram ambos em fazendas nas quais trabalhar não era uma escolha. Eles desenvolveram uma tremenda ética de trabalho. Meu pai trabalhava em dois ou três lugares para nos sustentar. Minha mãe era professora e posteriormente se tornou representante de vendas de uma empresa de produtos de limpeza.

Não herdei a ética de trabalho de meus pais. Tudo o que eu sempre quis foi me divertir, jogar basquete e sair com as garotas. No início o trabalho não fazia parte do jogo.

A NECESSIDADE DE TRABALHO

Meu pai não me deu opções quanto a trabalhar ou não em casa. Eu tinha de cortar a grama todos os sábados e lavar e secar os pratos diariamente com minha irmã (não tínhamos lavadora de louças). Meus pais me punham até mesmo para aparar jardins de idosos.

Meu pai me disse apenas uma vez: "Eu vou cuidar de suas necessidades básicas e providenciar comida, roupas para a escola e a igreja, sapatos e um teto sobre sua cabeça. Qualquer outra coisa que você queira, terá de trabalhar para conseguir". Não havia negociação. Eu queria uma bola de couro e tênis de basquete novos. Então, aos 14 anos, comecei a trabalhar para minha mãe vendendo produtos de limpeza. Ela trabalhava numa das primeiras empresas de venda direta em que mulheres organizavam festas para suas amigas com o intuito de mostrar e vender produtos de limpeza e outros itens domésticos que não podiam ser comprados em lojas. Consegui ganhar um bom dinheiro organizando festas com as mães dos meus amigos. Assim, trabalhei até poder comprar o que queria, depois parei. Se eu tivesse mais visão, teria sido bem melhor continuar trabalhando e colocar meus ganhos numa conta poupança.

Não voltei a trabalhar até passar na faculdade, que não oferecia bolsas esportivas, mas onde o ensino era gratuito. Eu precisava de um trabalho para pagar o alojamento e a alimentação. Fui contratado como zelador por 3,10 dólares a hora, que era um bom dinheiro em 1972. Eu trabalhava 34 horas por semana, dormia cerca de quatro horas por noite e tinha quinze horas de aulas, além dos treinos de basquete.

Aconteceu uma coisa engraçada enquanto trabalhei como zelador: comecei a ter orgulho do meu trabalho de limpar as coisas, até mesmo mictórios e banheiros. Sei que parece loucura, mas eu me sentia bem comigo.

Havia uma sensação de satisfação quando eu fazia um bom trabalho, mesmo como zelador. E, como eu trabalhava duro para limpar as coisas o melhor possível, o tempo começou a voar! Essa estranha satisfação, que resultava do trabalho duro, ainda hoje me impacta. Quando me lembro disso hoje, percebo que até mesmo aparar o jardim da maneira correta me trazia satisfação. É claro que eu nunca disse isso a meus pais!

Portanto, enquanto estava na faculdade, precisava trabalhar para comer e para ter um lugar para dormir. Meus pais eram muito pobres para me ajudar financeiramente. Na verdade, nunca puderam me enviar um centavo sequer. Para mim isso não era um problema, porque eles cuidaram de mim durante toda a minha vida. Eu não achava que eles me devessem alguma coisa. Eu também me orgulhava de pagar por minha educação.

Opa: eu quase me esqueci das garotas! Um rapaz deve ter dinheiro para sair com as garotas. Havia algumas exceções, quando elas pagavam pelos encontros, mas na maior parte das vezes eu paguei.

Em minha segunda faculdade, ganhei uma bolsa esportiva parcial no penúltimo ano, mas não joguei no último ano, então tive de fazer o que era chamado de "programa de trabalho-estudo". O bom disso foi que aprendi habilidades que deveria e teria aprendido com meu pai se não tivesse sido tão preguiçoso.

Assim, outro benefício do trabalho era aprender várias habilidades. **Quanto mais habilidades você aprende, mais confiante em si próprio e em sua vida você se torna.** E para aqueles que desejam se casar, algumas mulheres esperam que o marido tenha algum conhecimento básico de como fazer pequenos trabalhos em casa. Tal conhecimento lhes proporciona segurança e poupa o dinheiro da família.

LEVE OS ESTUDOS A SÉRIO

A parte acadêmica — a escola — também pode ser trabalho. Na faculdade eu não trabalhei duro academicamente. Pensava que estava sendo esperto por não estudar. Esse tipo de pensamento não era nada inteligente! Procrastinar tarefas era um de meus maus hábitos. Em várias ocasiões, porém, desejei não ter atrasado minha tarefa até o último minuto, pois percebi que gostava daquilo e de aprender também.

Quando entrei na pós-graduação, entendi que precisaria trabalhar duro e não fazer bobagens. Mais uma vez, tive a bênção de uma pós-graduação que oferecia auxílio financeiro, mas também tive de trabalhar novamente como zelador. Gary Chapman conseguiu para mim um emprego de repositor na Coca-Cola. Nele eu dirigia uma van com suprimentos para máquinas de venda automática e máquinas de troca de dinheiro. Era trabalho duro, mas com ótima remuneração. A ideia de Gary foi que, se eu trabalhasse nisso desde janeiro até a hora de ir para o curso de pós-graduação, eu não teria de trabalhar durante o ano letivo. Em outro lance estúpido, desisti após dois ou três meses.

Dessa vez, porém, na pós-graduação, levei a sério os estudos. Fazer anotações legíveis e boas era prioridade em todas as aulas.

Consegui um quarto, o que reduziu as distrações. Nem sempre isso é possível na faculdade ou na pós-graduação. Criei uma rotina de estudos após as aulas e o trabalho.

Mas antes mesmo da faculdade você terá exames difíceis para os quais precisará estudar. Muitas vezes isso envolve as anotações que você tem feito (esperamos!) durante as aulas. Como se lembrar de tanta informação? Aqui vão algumas dicas:

Leia as anotações em voz alta — quanto mais dos cinco sentidos você usa, mais facilmente aprende. Você vê e ouve as anotações, e isso evita que sua mente divague. Com isso pode reduzir seu tempo de estudo pela metade. Leia as anotações no primeiro dia sete vezes em voz alta.

Leia as anotações do primeiro dia uma vez, depois as anotações do segundo dia sete vezes em voz alta. Depois, as do terceiro dia. Essa é a ideia.

O benefício é que você aprende a matéria antes de cada prova, evitando que ela se acumule. E você se lembrará das matérias muito tempo após o término do curso.

Esse método me ajudou a alcançar o índice de rendimento acadêmico (IRA) máximo em meu primeiro semestre com alguns dos professores mais exigentes da pós-graduação.

Compartilhei esse método com vários alunos que se esforçavam muito academicamente, e suas notas tiveram melhoras notáveis.

Depois de anos sem um bom desempenho, me senti muito bem com um IRA máximo. Enviei uma cópia de minhas notas para Gary. Ele me escreveu dizendo: "Eu sabia que você conseguiria, mas é bom ver isso registrado no papel". Fiquei muito satisfeito pela recompensa por estudar tão duro. Perto do final da pós-graduação, vários professores me encorajaram a entrar no programa de doutorado. Imaginem só!

Um sentimento semelhante veio do sucesso no basquete depois de ter dado duro por anos. Trata-se de autovalorização, não de autoadoração.

ENCONTRAR O TRABALHO CERTO

O que é um trabalho grandioso? **Trabalho grandioso é aquele que, ainda que não fosse pago, você gostaria de fazê-lo.** Mas isso não significa que se seu trabalho for maçante você não trabalhe duro, ou não dê o melhor de si. Você ainda pode ter satisfação em seu trabalho, mesmo que ninguém mais o aprecie.

Enquanto está na escola, pense no que gostaria de fazer para o resto de sua vida profissional.

Meu espírito parece ser o de um empreendedor, porque gosto de arriscar e sou um rebelde. E é divertido criar um mercado para o que quero fazer. Ora, eu ajudo as pessoas em seus relacionamentos e, em troca, elas me ensinam sobre redes sociais e a criar meus próprios vídeos e editá-los. Isso é prazeroso para mim porque sou tecnologicamente desafiado! Adoro o aprendizado constante e os desafios de novas aventuras.

Escrever livros, coisa que passei a apreciar, é algo que nunca pensei que pudesse fazer — logo eu, que fui jubilado da faculdade. Mas comecei a escrever. Gary me pediu que escrevesse um artigo para mulheres que estavam trabalhando em sua igreja. Então um amigo me pediu que escrevesse um artigo sobre minha relação com Gary de uma perspectiva transcultural. Fui pago por esse artigo. O diretor de uma faculdade viu esse artigo e o colocou em um livro que estava organizando. Não sou um autor *best-seller*, mas é gratificante escrever livros que as pessoas dizem que as ajudam.

Agora eu ganho a vida ajudando as pessoas por meio de aconselhamento, conferências, livros e tuítes.

Não faz muito tempo, um cliente disse: "Você parece mesmo amar o que faz". Eu ri por dentro, porque o que estou fazendo é trabalhar. Achei graça porque me lembrei do que minha mãe dizia sobre eu ser tão preguiçoso. Ela ainda está certa. O que eu faço me parece diversão!

Então, pense em quem você é e a que você está conectado. Depois, pense nas possibilidades de ganhar a vida fazendo um trabalho que seja divertido. Você terá sucesso e, mais importante ainda, terá satisfação!

Minhas (de Gary) primeiras lembranças de trabalho são de-

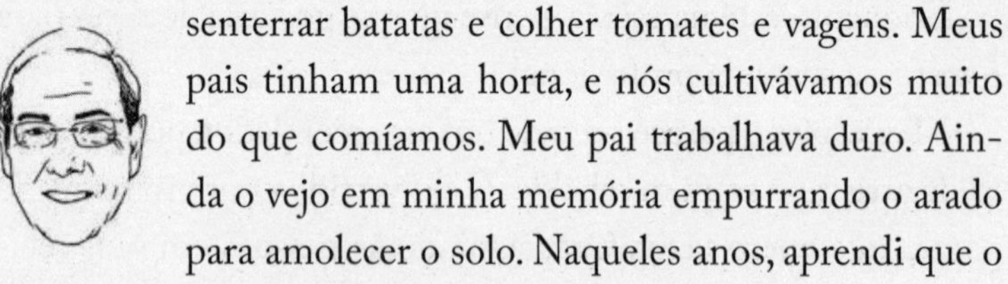

senterrar batatas e colher tomates e vagens. Meus pais tinham uma horta, e nós cultivávamos muito do que comíamos. Meu pai trabalhava duro. Ainda o vejo em minha memória empurrando o arado para amolecer o solo. Naqueles anos, aprendi que o trabalho duro compensa. Não há comida melhor do que aquela que vem diretamente da horta.

No ensino médio, em um verão, trabalhei numa pequena loja local de departamentos. Ainda me lembro de montar cestas de Páscoa com ovos de plástico e coelhos amarelos. Eu trabalhava principalmente no depósito.

Após meu primeiro ano na faculdade, voltei para casa e trabalhei na fábrica têxtil, das 23h às 7h da manhã. Foi meu primeiro trabalho realmente duro.

Na faculdade, trabalhei num depósito despachando encomendas. Trabalhava das 15h às 19h, depois voltava para meu quarto e estudava até às 23h. Houve um ano em que trabalhei como zelador numa escola de ensino fundamental. Todos esses trabalhos permitiram que eu cursasse a faculdade. E me ensinaram o valor do trabalho.

Na sua idade, você não precisa saber o tipo de trabalho que gostaria de fazer pelo resto de sua vida. Ainda assim, é divertido sonhar. Como seria a vida se você fosse piloto, professor, médico, agricultor, atleta, advogado, zelador, construtor, banqueiro ou homem de negócios? Ou que tal trabalhar para uma empresa de tecnologia, ou dirigir um caminhão pelo país, ou ser um guarda-florestal, ou cientista? A lista é enorme.

Uma maneira de explorar as possibilidades é conversar com homens que estão trabalhando e lhes pedir que digam do que gostam e o que acham mais difícil no trabalho. Se você encontrar algo que realmente lhe interesse, quem sabe esse homem pode até deixá-lo passar um dia com ele no trabalho quando você estiver de férias.

Os sonhos orientam sobre o que você decidirá estudar na faculdade ou na escola profissionalizante. Imagine um trabalho que você acha que iria apreciar. Fale com alguém que exerça esse tipo de trabalho. Aprenda o máximo que puder sobre a formação necessária para desempenhar essa função.

Outra questão é: "Como eu poderia ajudar as pessoas se tivesse esse trabalho?". Um trabalho importante deve ser algo de que você gosta, que sirva aos outros e que lhe pague o suficiente para sustentar uma família.

Durante muitos anos eu (Gary) trabalhei como conselheiro da equipe de uma grande igreja. Também escrevi muitos livros e agora faço palestras em todo o mundo. Gosto muito do meu trabalho. Alguém me perguntou: "O que você gostaria de fazer se você se aposentasse?". Eu disse: "Eu gostaria de fazer o que estou fazendo".

Nossa esperança é que você um dia invista sua vida em um trabalho que você ame.

PERGUNTE A SI MESMO...

1. Você tem responsabilidades regulares em casa? Quais são elas? Você executa esse trabalho com uma atitude positiva? É pago pelo trabalho extra que faz em casa? Já trabalhou para vizinhos que lhe pagaram por seu trabalho?
2. Depois de ler este capítulo, como se sente em relação a seus esforços de estudo na escola? Você tem bons ou maus hábitos de estudo? Não se esqueça de experimentar as dicas de estudo que lhe sugerimos e ver se elas funcionam para você.
3. Quando pensa em um trabalho que gostaria de ter por toda a vida, o que lhe vem à mente? Conhece alguém com esse tipo de trabalho? Já falou com essa pessoa sobre o tipo de formação necessário para exercê-lo?
4. Você estaria disposto a pedir a seus pais, ou a algum outro adulto de confiança, que o ajudassem a aprender mais sobre algum trabalho que lhe interessa?
5. Você acha que terá mais sucesso trabalhando em uma organização ou dirigindo uma? Por quê? (Não há nada errado com nenhuma das opções.)
6. Neste momento, em que você precisa trabalhar com mais afinco e/ou entusiasmo?

5

Escolha respeitar as garotas e as mulheres

Você já teve de fazer aquela temida caminhada através do salão em um evento ou festa da escola, saindo da segurança de seus colegas para convidar a garota de quem você gosta para dançar? Geralmente isso acontece da seguinte forma. Ela está com as amigas e inevitavelmente uma delas o vê chegando. Então, todas se voltam umas para as outras, dando risadinhas enquanto você se aproxima. A essa altura, já é tarde demais para voltar, pois todos os outros no salão estão olhando! Você vê a garota com quem quer dançar e tenta não olhar para ela, mas não consegue deixar de encará-la à medida que se aproxima. Todas as garotas sabem exatamente com quem você quer dançar. Novamente elas se fecham em um círculo, rindo enquanto perguntam a ela: "Você vai dançar com ele?". O tom da pergunta delas informa a garota de seus sonhos sobre você ter sido aprovado, rejeitado, ou se ela tem outras opções. Assim, a preferência pessoal dela pode ser vencida pela pressão das colegas. Tais grupos muitas vezes determinam se um rapaz conseguirá ou não dançar com aquela garota especial.

Finalmente, você chega. Andar pelo salão pareceu demorar duas horas, mas foram apenas segundos. Você tem de pedir a essa garota para dançar na frente das amigas e de todas as outras pessoas. Se a resposta dela for "sim", você sobe no conceito de todos, ganha pontos, se torna popular, ou como você quiser chamar isso. Se a resposta dela for "não", você perde esses pontos invisíveis que garantem uma boa posição nos grupos sociais e talvez não dance pelo resto da noite, pois todos captaram a dica da reação do grupo a você. Ainda mais difícil que convidar a garota para dançar na frente de suas amigas é a longa caminhada de volta ao seu grupo se ela recusar.

Interagir desse modo com garotas é algo que a maioria dos rapazes não está muito acostumada a fazer, e é por isso que ter um pai ou adulto de confiança em sua vida é tão valioso. Uma experiência de rejeição como a que você acabou de ler pode influenciar seus sentimentos futuros com relação às mulheres e sua disposição para respeitá-las ou não. O sexo oposto pode ser um grande mistério e frustração, e isso inclui descobrir como aproximar-se delas, conhecê-las e, por fim, amá-las e receber amor em troca.

Quer você perceba quer não, convidar uma garota para dançar ou para um encontro requer coragem, mas também é um dos modos de **respeito** mais refinados que você pode oferecer a uma moça.

Mas o que mais está implicado no respeito às mulheres, e por que devemos respeitá-las?

Nós dois crescemos no sul dos Estados Unidos, onde a maioria dos pais e outros homens ensinam os meninos, desde cedo, a serem "cavalheiros" com as mulheres — abrir portas para elas, deixá-las passar primeiro, providenciar cadeiras para que se sentem, andar na calçada entre elas e a rua, ceder o lugar, dizer: "Sim, senhora".

Mas será que isso é "respeitar" as mulheres?

Algumas mulheres sentem que tal tratamento é aviltante, não respeitoso. Outras o acolhem com satisfação. Mas o respeito pelas mulheres vai muito além de abrir uma porta (embora bons modos sejam importantes!). Significa ver as mulheres — garotas, mãe, avós, tias, irmãs, amigas — como iguais. Significa falar educadamente com elas. Respeitar suas opiniões. Não interromper. E, certamente, significa vê-las como mais do que seres sexuais ou, pior ainda, abusar delas.

Embora as mulheres sejam cerca da metade da população do país, temos uma longa tradição de tratá-las como cidadãs de segunda classe. Você deve saber que as mulheres não podiam sequer votar até 1920. (E, sim, em vários outros países as mulheres e as garotas são tratadas de forma ainda pior.) Embora os homens atualmente aceitem mais as mulheres como líderes em governos, nos negócios, nas ciências e em muitas outras áreas, ainda temos um longo caminho a percorrer.

COMO O ENTRETENIMENTO RETRATA AS MULHERES

Vejamos nosso entretenimento. Em se tratando de música *rap*, eu (Clarence) adoro algumas batidas e outras não, mas a letra pode ultrapassar os limites para mim. Em alguns *raps*, as letras falam sobre mulheres em termos degradantes.

Quando garotas ou mulheres adultas ouvem esses termos, não se sentem bem consigo próprias. Elas não apreciarão nem respeitarão homens que usem tais termos. Não há como fugir do fato de que a música que ouvimos pode influenciar nossa percepção das mulheres e o tratamento que dispensamos a elas. Talvez você precise reconsiderar e deixar de ouvir qualquer música que degrade as mulheres.

Algumas músicas e vídeos de *rap* promovem desrespeito às mulheres. A pornografia é outra forma de demonstrar falta de respeito por elas. Falaremos mais sobre esse assunto no próximo capítulo, mas vamos abordar esta questão específica aqui: a pornografia é desrespeitosa com as mulheres porque as trata como objeto a ser observado, usado, controlado e descartado quando você está satisfeito. De fato, um modo extremo de tratar a mulher na pornografia muitas vezes é a dominação masculina. Outras vezes, há o estupro simulado. Se algum homem diz respeitar as mulheres, mas ainda vê pornografia, o que ele realmente quer dizer é, na melhor das hipóteses, que ele respeita apenas as mulheres que conhece pessoalmente. **Queremos que você seja um homem que respeita todas as mulheres, em público e em particular**.

Não podemos deixar de mencionar que muitos *videogames* tratam as mulheres como objeto ao apresentá-las em proporções corporais irreais, roupas sumárias e diálogos estúpidos. Ainda mais desrespeitosas são aquelas franquias de jogos em que as mulheres são em sua maioria prostitutas que podem ser pegas, baleadas ou atropeladas com seu carro roubado.

Com todos esses exemplos de discriminação em nossa história e na mídia distorcida que consumimos, será que surpreende que tantos homens de todas as idades tenham dificuldades para respeitar as mulheres como iguais em nossas escolas, famílias, igrejas, círculos sociais e locais de trabalho? Surpreende que continuemos ouvindo histórias de homens acusados de agressões sexuais contra as mulheres?

Outra área da mídia e do entretenimento que vale a pena mencionar é o esporte.

Você já notou que cada vez mais atletas profissionais estão sendo acusados e até presos por violência doméstica contra a namorada ou a esposa? Um deles foi impedido de continuar jogando, embora tivesse ainda condições físicas em alto nível para isso. Seu episódio de violência doméstica custou-lhe o respeito de muitas mulheres (e homens), além de alguns milhões de dólares. Outro jogador premiado começou a temporada com uma acusação de violência doméstica. Embora não tenha sido criminalmente acusado pela polícia local, a liga esportiva fez sua própria investigação e o suspendeu por seis jogos.

Fica clara uma lição: **nossas ações passadas podem ter consequências futuras.**

Então, o que causa a violência doméstica? Como posso aprender a controlar minhas emoções e mudar meus hábitos? Pense nisso. Se atletas profissionais crescem vendo e ouvindo mulheres serem desrespeitadas o tempo todo, então os maus-tratos às mulheres se tornam algo aceitável. Eis uma questão importante para refletir: você diria que a violência doméstica contra as mulheres está ligada ao que os homens escutam e/ou observam?

Um homem de verdade controla suas emoções em vez de ser controlado por elas.

Você certamente não é um atleta de elite ou uma estrela do *hip-hop* (e queremos acrescentar que há muitos homens excelentes nesses grupos). Talvez esteja apenas tentando entender sua relação com as garotas. Talvez não tenha tido grandes exemplos de como os homens tratam as mulheres. Porém, agora é o momento de começar a construir uma atitude saudável e respeitosa para com todas as mulheres e garotas.

NOSSAS HEROÍNAS!

Pense nisso: sem as mulheres, nenhum de nós, homens, estaria aqui. Pense em sua mãe. A maior parte das mães é ou era incrível! Elas nos deram à luz, nos amamentaram, nos deram banho e cuidaram de nós quando não podíamos cuidar de nós mesmos.

A maioria das mães está sempre nos protegendo, especialmente os meninos! Geralmente existe um vínculo especial entre mães e filhos, assim como pode haver entre pais e filhas.

A maioria das mães nos ensina a cuidar de nós mesmos, e elas usam seus "poderes especiais de mãe" para nos ajudar. Em geral, sabem dizer quem será um bom amigo e quem não. Sabem a diferença entre uma boa garota e uma problemática. A maior parte das mães cobre seus filhos de elogios! É esse o tipo de mulher que merece ser chamada por nomes feios? É claro que não. Você tem irmãs ou tias que o amam? Elas merecem ser chamadas por nomes feios? E as outras mulheres de seu bairro ou escola que estão apenas tentando entender a vida, assim como você? A triste verdade é que devemos ser ensinados a respeitar os outros, mas a mídia que consumimos e os heróis que admiramos normalmente não nos ensinarão isso.

Eis aqui o exemplo de um verdadeiro herói. Você tem ou conhece uma mãe solteira que trabalha em dois empregos a fim de sustentar a família? É extremamente difícil para uma mãe sozinha, não importa quão incrível ela seja, preencher o lugar de um pai. A dificuldade aumenta ainda mais para a mãe que cria sozinha um menino na fase da adolescência. É por isso que incentivamos os jovens que vivem com uma mãe sozinha a buscar um homem adulto de confiança que o acompanhe ao longo da vida.

Quando adolescente, eu (Clarence) tinha um grande respeito pelas mulheres. Meus pais me ensinaram isso. **E minha experiência me mostrou que respeitar as garotas realmente nos torna mais atraentes para elas**. Acredito que ter respeito pelas mulheres me preparou para o namoro e, finalmente, para o casamento. Veja bem, se você gosta de uma mulher e quer amá-la, em qualquer idade, pode ter certeza que desrespeitá-la ou a outras mulheres ao seu redor trabalhará fortemente contra você. Quando as mulheres se sentem desrespeitadas, é difícil para elas encontrar amor, alegria ou realização em seu relacionamento com a pessoa desrespeitosa, e em geral o relacionamento termina mal.

Portanto, para aqueles que desejam ter um relacionamento duradouro com uma esposa, um passo fundamental é aprender a respeitar as mulheres, caso ainda não façam isso.

PERGUNTE A SI MESMO...

1. Em que aspectos, a seu ver, as garotas/mulheres estão sendo desrespeitadas por rapazes e homens mais velhos?
2. Você acredita que respeita as mulheres? Se sim, como demonstra a uma garota ou a uma mulher que a respeita? Como pode melhorar nesse aspecto?
3. Você respeita sua mãe e outras mulheres de sua família? Em caso afirmativo, por quê? Como demonstra esse respeito? Você já foi desrespeitoso? O que aconteceu?
4. Se você está sendo criado por uma mãe solteira, como demonstra respeito a ela? Você a ajuda com o trabalho em casa? Leva o lixo para fora sem ela pedir? Ajuda-a a limpar a cozinha, de modo que esse seja um trabalho a menos para ela?
5. O que você ouve nas músicas ou vê em vídeos influencia seu modo de enxergar as mulheres? Se sim, como? O que você precisa fazer para começar a respeitar as mulheres? Você tem coragem ou força suficiente para parar de ouvir ou assistir a algo que promove o desrespeito às mulheres?
6. Embora homens e mulheres sejam claramente diferentes, por que, em sua opinião, alguns homens têm dificuldade

para ver as mulheres como iguais? Como você pode ser diferente e, ao mesmo tempo, respeitar as mulheres?

7. Se você fosse pai de uma moça, como acredita que se sentiria se um menino ou um homem a chamasse por um nome feio? Se você fosse ela, como se sentiria?
8. Pense em perguntar a sua mãe ou irmã (se você tiver uma), ou a qualquer mulher de sua família, se elas já foram desrespeitadas e, em caso afirmativo, de que maneira. O que você sentiu com base na experiência delas? Por quê?

6

Escolha ser sexualmente responsável

Gostar de garotas é natural, normal, saudável e apropriado para os rapazes. Mas o modo como lidamos com essa atração é de extrema importância. Na faculdade, eu (Gary) estudei antropologia, área de estudo sobre as diversas culturas do mundo. Todas as culturas têm diretrizes sobre como moços e moças devem se relacionar — o que é apropriado e o que não é. O que aconteceu na cultura ocidental é que nos últimos sessenta anos nós abandonamos as regras sobre as quais ela foi construída. Promovemos a "liberdade sexual", permitindo que rapazes e garotas façam quase de tudo sexualmente. Entretanto, não nos foi revelado o custo dessa liberdade. Não nos contaram que existem consequências para cada escolha que fazemos no âmbito sexual.

Um total de 110 milhões de pessoas nos Estados Unidos têm uma doença sexualmente transmissível (DST).[1] Centenas de milhares de bebês são abortados a cada ano sem nunca terem a chance de viver fora do útero. Muitas dessas mães e pais vivem em profundo arrependimento. Centenas de milhares de homens casados que praticavam "liberdade sexual" quando solteiros mantiveram essa prática depois do casamento.

Muitos desses casamentos terminarão em divórcio, e os filhos dessas pessoas viverão em tristeza. Essas realidades nos motivam fortemente a desafiar você a tomar decisões sábias relacionadas à sexualidade. Neste capítulo, vamos desafiá-lo a tomar três decisões sábias e específicas. Estamos convencidos de que, no longo prazo, elas lhe darão a maior sensação de satisfação sexual possível. Ambos tomamos essas decisões e agora, como adultos, estamos extremamente felizes por termos feito isso.

Uma última coisa antes de apresentarmos esses três desafios: faremos algumas descrições objetivas de seu corpo, do que você pode fazer com ele e de algumas consequências que você talvez sofrerá se não aceitar tais desafios como coisas sábias para seu presente e futuro. É exatamente por você não poder desfazer muitas dessas consequências que escrevemos de forma tão descritiva e direta: **não queremos que você viva com dor e arrependimento**. Assim, com essa demonstração de franqueza de nossa parte, vamos ao primeiro desafio.

DESAFIO Nº 1: NÃO EXPOREI MEU CORPO A DOENÇAS SEXUALMENTE TRANSMISSÍVEIS

As infecções sexualmente transmissíveis ocorrem quando você se envolve em relações sexuais ou em sexo oral com alguém já infectado. Estimativas sugerem que os jovens de 15 a 24 anos contraem quase metade de todas as doenças sexualmente transmissíveis a cada ano.[2] Existem centenas de infecções sexualmente transmissíveis. Mencionaremos apenas algumas das mais graves. Talvez a mais conhecida seja a AIDS, transmitida pelo HIV.

HIV (Vírus da imunodeficiência humana)

Existem 56 mil novos casos de HIV a cada ano. Desses casos 25% ocorre entre jovens de 18 a 24 anos. A maior parte das novas infecções pelo HIV entre jovens ocorre entre *gays* e bissexuais do sexo masculino. Quase 60% dos jovens que têm o HIV não sabem que estão infectados; por isso, quando se envolvem em atividade sexual, estão passando o vírus para outros sem nem se dar conta disso.[3]

Sífilis

A sífilis é uma DST que pode acarretar sérios problemas se não for tratada. No estágio inicial, ela se manifesta como uma única ferida que, por ser indolor, pode ser facilmente ignorada. O estágio secundário é evidenciado por erupções cutâneas, feridas na boca, ou manchas ásperas, vermelhas ou marrom-avermelhadas na palma das mãos, na planta dos pés ou nas costas. Os estágios avançados trazem dificuldade de coordenar movimentos musculares, dormência, cegueira e demência. Nesses estágios, a doença danifica os órgãos internos e pode causar a morte. A maioria dos casos de sífilis precoce atualmente se dá entre homens que fazem sexo com homens, mas mulheres e crianças por nascer também correm risco de infecção. A sífilis é curável com antibióticos. Entretanto, o tratamento pode não reverter os danos que a infecção já houver causado.[4] Embora os problemas de saúde advindos da sífilis sejam graves por si sós, as feridas genitais causadas por ela também facilitam a transmissão e a infecção sexual do HIV.

Gonorreia

A gonorreia é uma DST que pode afetar tanto homens quanto mulheres. Ela pode produzir infecções nos órgãos genitais, no reto e na garganta. É uma DST muito comum entre jovens de 15 a 24 anos. Você pode contrair gonorreia fazendo sexo com qualquer pessoa que esteja infectada. Alguns homens que têm gonorreia podem não apresentar sintoma algum. Entretanto, homens que têm sintomas podem apresentar: sensação de ardor ao urinar; secreção branca, amarela ou verde que sai pela uretra; testículos doloridos ou inchados. As infecções retais podem incluir: prurido anal, dor, sangramento ou movimentos intestinais dolorosos. Se não tratada, a gonorreia pode produzir problemas graves e duradouros em homens e mulheres. Para os homens, a gonorreia pode levar a uma condição testicular dolorosa, e em casos raros causa esterilidade. Em outros casos raros, se não for tratada a gonorreia pode se espalhar para o sangue e as articulações, o que pode levar à morte.[5]

Infecção por HPV genital

O vírus do papiloma humano (HPV) é a DST mais prevalente nos Estados Unidos. Existem vários tipos de HPV. Alguns tipos podem trazer outros problemas de saúde, tais como verrugas genitais e cânceres. Como todas as outras doenças sexualmente transmissíveis, você pode contrair o HPV tendo relações sexuais ou sexo oral com alguém infectado com o vírus. O HPV pode ser transmitido mesmo se a pessoa infectada estiver sem sintomas.[6]

Herpes genital

Herpes é outra DST comum. Nos Estados Unidos, mais de uma em cada seis pessoas de 14 a 49 anos tem essa doença. Você pode contrair herpes tendo relações sexuais ou sexo oral com alguém que tem a doença. As feridas de herpes genital geralmente aparecem como bolhas nos genitais, no reto ou na boca, ou em regiões próximas a esses órgãos. Essas bolhas estouram e produzem feridas dolorosas que podem levar semanas para cicatrizar. Isso é às vezes chamado de "crise". A primeira crise que alguém tem pode ser acompanhado por sintomas semelhantes aos da gripe (como febre, dores, glândulas inchadas). O herpes é incurável, mas certos medicamentos podem deter ou limitar as crises. Os preservativos podem diminuir (mas não eliminar) o risco de contrair herpes. As feridas ou outros sintomas de herpes podem aumentar o risco de propagação do herpes a outras pessoas. E mesmo quem não apresenta sintomas de herpes pode ainda assim infectar seus parceiros.[7]

Quão comuns são as DSTs?

As doenças sexualmente transmissíveis são comuns, especialmente entre os jovens. Há cerca de 20 milhões de novos casos de doenças sexualmente transmissíveis a cada ano nos Estados Unidos, e cerca da metade delas ocorre em pessoas entre 15 e 24 anos.[8] Algumas das DSTs anteriormente descritas, bem como outras que não descrevemos, podem ser curadas com a medicação apropriada. Outras não podem ser curadas, mas é possível tomar medicamentos para amenizar os sintomas. DSTs não tratadas podem se tornar extremamente perigosas.

Então, como você pode se proteger de doenças sexualmente transmissíveis? De acordo com os Centros de Controle e Prevenção de Doenças do governo dos Estados Unidos (CDCs): "A maneira mais segura de se proteger contra as DSTs é não ter relações sexuais. Isso significa não fazer sexo vaginal, anal ou oral (abstinência). [...] Tudo bem dizer 'não' se você não quer ter relações sexuais".[9] Concordamos plenamente com esse conselho e pedimos que você aceite o desafio de não expor seu corpo a doenças sexualmente transmissíveis. Alguns rapazes pensam que os preservativos os impedirão de contrair uma infecção. Isso não é verdade, pois o preservativo não cobre todas as áreas infectadas.

Se você tiver dúvidas sobre sexualidade, nós o encorajamos a falar com seus pais ou outros adultos de confiança. Não tenha medo de lhes fazer perguntas honestas. Lembre-se de que eles também já foram adolescentes. Se quiser saber mais sobre doenças sexualmente transmissíveis, pesquise em *sites* do governo federal no Google. Você encontrará inúmeros artigos que tratam de várias doenças sexualmente transmissíveis.

DESAFIO Nº 2: SÓ FAREI SEXO DEPOIS DE ME CASAR

Esse desafio pode parecer semelhante ao primeiro, o de não permitir que seu corpo seja exposto a doenças sexualmente transmissíveis. No entanto, descobrimos que os rapazes que aceitam o desafio de não ter relações sexuais, sexo oral ou qualquer outra relação sexual íntima antes de se casar são muito mais propensos a traçar diretrizes seguras para todas as suas relações amorosas. Eles não se colocarão em situações em que seja provável que comprometam sua sábia decisão de se abster da intimidade sexual antes do casamento.

Também incentivamos você a compartilhar com sua namorada a decisão de não ter relações sexuais até que se casem. Dizer isso a ela lhe dará coragem se ela tiver tomado a mesma decisão sábia. E, se ela não fez isso, sua decisão poderá ajudá-la a se decidir de forma semelhante.

Uma das razões para esperar até o casamento para ter relações sexuais é que a maioria dos rapazes não está em condições de sustentar um filho concebido antes do casamento. Se um jovem tem relações sexuais com uma moça e ela engravida, é sua responsabilidade moral e legal sustentar essa criança até os 18 anos de idade, mesmo que esse jovem não se case com a mãe da criança. Acreditamos que é trágico o fato de certos atletas se vangloriarem do número de filhos que tiveram com diferentes mulheres. Isso não passa de total irresponsabilidade.

Muitos rapazes acham que, se usarem preservativo, é impossível a garota engravidar. Todas as pesquisas indicam que os preservativos não dão essa garantia. Converse com vários homens casados e verá que muitos deles usaram preservativos porque não estavam prontos para ter um filho, e ainda assim a esposa engravidou. A única maneira de garantir que não se tornará pai antes de se casar é decidir esperar até o casamento para ter relações sexuais.

O sexo no casamento é uma bela experiência. Você nunca se arrependerá de esperar até o casamento. O propósito do sexo no casamento não é apenas ter bebês, embora isso também seja uma experiência maravilhosa. Mas o sexo no casamento é uma experiência de profunda união, que cria intimidade emocional. É por isso que quase todas as culturas ao longo da história têm encorajado os rapazes a esperar até que se casem para experimentar a alegria das relações sexuais. Para aqueles que seguem a fé cristã, como nós, esse é o padrão que Deus estabeleceu aos que procuram seguir seus ensinamentos. É a prática da abstinência antes do casamento e do envolvimento total após o casamento que cria o ambiente doméstico mais estável para criar os filhos.

E quais seriam outras razões para esperar até o casamento para fazer sexo, além de evitar DSTs ou pagar pensão alimentícia? Minha experiência (de Clarence) em aconselhamento matrimonial mostra que aqueles que têm relações sexuais antes do casamento:

- Raramente se casam com a primeira pessoa com quem fazem sexo.
- Reduzem sua capacidade de se comprometer em um relacionamento com apenas uma pessoa.

- Experimentam menos satisfação sexual quando se casam.
- Têm menos relações sexuais após o casamento.
- Aumentam suas chances de divórcio.
- Têm dificuldade de experimentar proximidade ou intimidade em seus relacionamentos, não sentindo, portanto, satisfação, mas sim frustração.
- Muitas vezes se arrependem profundamente de ter feito isso.
- Descobrem que, mesmo se o homem se casar com a moça com quem dormiu, ela muitas vezes sente que não pode de fato confiar nele e fica achando que ele não lhe será fiel.

A intimidade sexual requer conexão emocional, intelectual, social e espiritual. A relação sexual significativa é uma celebração dessas conexões numa relação matrimonial.

Quando uma criança cresce com um modelo de mãe e pai que se amam, se apoiam, se ajudam e trabalham juntos para fazer do mundo um lugar melhor, é provável que ela se torne um adulto produtivo e alcance todo o seu potencial para o bem no mundo. Por outro lado, crianças que crescem num lar sem pai, ou em que mãe e pai não se amam ou não ajudam um ao outro, precisarão se esforçar muito para tomar boas decisões. Alguns de vocês que leem este livro talvez estejam crescendo em famílias que não são as ideais, mas não é preciso repetir os erros que seus pais cometeram. Se escolher tomar as decisões sábias e corajosas que estamos discutindo neste livro, terá uma vida grandiosa e mudará a direção e a saúde de sua árvore genealógica para as gerações futuras!

Pornografia

Antes da tecnologia moderna, a pornografia não era a ameaça que é hoje. No mundo atual, é difícil evitar a exposição a imagens pornográficas. Mas o que é pornografia? A palavra é uma combinação de duas outras. Pornografia vem da palavra grega para meretriz (*porne*). Uma meretriz é quem vende seu corpo por dinheiro — muitas vezes contra sua vontade. Hoje as chamamos de prostitutas. Os homens pagam para ter relações sexuais com elas. Há pessoas que ainda se dedicam a essa prática.

A segunda palavra é "grafia", proveniente do grego *grapho*, que significa "escrever". Assim, a primeira forma de pornografia foi a descrição escrita da atividade sexual destinada a estimular sentimentos eróticos ou sexuais na pessoa que lia. Ainda temos essa forma de pornografia em alguns romances.

Desde a invenção das câmeras e dos dispositivos de vídeo, a pornografia se tornou mais visual. A pessoa não está apenas lendo, mas vendo ações sexualmente explícitas destinadas a estimular sexualmente o espectador. Esse é o tipo de pornografia mais comum hoje em dia. A pornografia pode ser vista em filmes, na televisão, em computadores e em *smartphones*. Está prontamente disponível, e é por isso que se tornou um problema tão grande em nossa sociedade.

As pessoas que se deixam filmar em provocantes cenas de nudez estão vendendo o corpo por dinheiro. Aqueles que assistem à pornografia as estão apoiando e a todo um setor industrial destinado a explorar mulheres e homens.

Você gostaria que sua irmã vendesse o corpo e os homens pudessem vê-la nua? Gostaria que sua mãe fosse uma meretriz? Acreditamos que sua resposta é "Não!". Então, por que você olharia para a irmã ou a mãe de outra pessoa expondo o corpo nu por dinheiro?

A pornografia reduz a mulher a um objeto sexual, e não a uma pessoa digna de respeito. Ela se torna uma imagem que os homens olham para o próprio prazer, sem pensar nela como pessoa. Por que lhe pedimos que não se envolva com pornografia?

- A pornografia estimula desejos sexuais que podem ser difíceis de controlar.
- A pornografia enche sua mente com imagens sexuais difíceis de apagar.
- A pornografia lhe dá uma ideia distorcida do sexo.
- A pornografia o leva a ver todas as garotas como objetos sexuais e não como seres humanos iguais a você.
- A pornografia pode transmitir a ideia de que as garotas existem simplesmente para lhe dar prazer.
- A pornografia exalta o sexo como a coisa mais importante na vida.
- A pornografia não mostra que, depois de vê-la, muitas vezes você se sentirá mal e envergonhado de si próprio, o que resulta numa autoimagem ruim.
- A pornografia não revela que pode viciar e causar grandes problemas quando você se casa. Nenhuma esposa quer que o marido seja viciado em pornografia.

Portanto, recomendamos veementemente que você não veja pornografia. Não somente seu compromisso o ajudará a respeitar as mulheres, como também será mais fácil cumprir o desafio nº 2 se você evitar a pornografia.

Já falamos sobre *sexting*, o uso de mensagens eletrônicas, como *e-mail*, textos ou outros aplicativos de mensagens com palavras, imagens ou vídeos sexualmente explícitos para outra pessoa de quem você provavelmente é íntimo (ou quer ser). E, depois de ler a definição da palavra pornografia, você provavelmente consegue perceber que ***sexting* é pornografia**, só que destinada a apenas uma pessoa, em vez de a um público mais amplo. Mas um dos perigos do *sexting* é que pode se transformar rapidamente em pornografia se quem recebeu sua mensagem decide trair sua confiança e compartilhar o conteúdo com outras pessoas. Outro grande perigo do *sexting*, especialmente para menores de 18 anos, é que, dependendo das leis locais e estaduais que se aplicam às duas pessoas participantes, você pode estar cometendo ou fazendo que outra pessoa cometa um crime de pornografia infantil. Quando isso acontece, você ou alguém com quem você diz se importar pode se tornar um criminoso sexual condenado, ou seja, rotulado para a vida toda. Portanto, tenha cuidado com os perigos do *sexting*.

Alguns rapazes estão abrindo mão de seus *smartphones* e voltando a usar os celulares antigos como um modo de não serem derrotados pela pornografia. Eles adotaram a atitude "fazer o que for preciso" para se livrar desse mal.

DESAFIO Nº 3: NÃO PERMITIREI QUE OUTRO HOMEM TOQUE MEUS ÓRGÃOS GENITAIS

Por órgãos genitais nos referimos ao pênis, aos testículos e às nádegas. Infelizmente, há homens adultos que se aproveitam de rapazes para sua própria satisfação sexual. Às vezes são homens de sua família estendida: tios, avôs, padrastos, namorado da mãe, ou até mesmo um irmão — pessoas que você já conhece. Por outro lado, há predadores *on-line* que fazem contato por *e-mails*, aplicativos de mensagens ou redes sociais, procuram tornar-se seu amigo e pedem para encontrá-lo em determinado lugar em determinado momento. Tais convites nunca devem ser aceitos, mas sim compartilhados com seus pais ou outros adultos de confiança. Por vezes, esse abuso sexual se dá em um ambiente esportivo por um treinador, funcionário ou colega atleta. Felizmente, os treinadores e envolvidos em eventos esportivos para adolescentes são, em sua maioria, homens íntegros e responsáveis. **Mas se alguma vez você notar que alguém está lhe pedindo para fazer algo que você não quer fazer, diga não, saia correndo e informe a seus pais ou outro adulto responsável o mais rápido possível.** Esse tipo de abuso sexual é muito comum em nossa cultura.

Às vezes os adolescentes relutam em relatar tais atividades a seus pais ou a outros adultos de confiança por sentirem medo, mas o mais corajoso a se fazer é delatar a pessoa para que ela seja detida e não se aproveite de outros garotos também.

Você também pode encontrar rapazes de sua idade que tentarão convencê-lo a "explorarem" o corpo um do outro. Essas tentativas de persuasão visam o prazer deles próprios. Isso pode ser uma forma de *bullying* e se tornou um novo rito de passagem ou iniciação para algumas gangues. Trata-se de uma forma de abuso sexual. Desafiamos você a resistir às tentativas deles e a denunciá-los para que isso não aconteça com outra pessoa, como um irmão ou primo mais novo.

Embora esse desafio diga respeito principalmente a homens adultos que se aproveitam de menores, não se deixe levar pelos incentivos de outros homens/garotos referentes a atividades sexuais com mulheres adultas: essas mulheres mais velhas podem ser igualmente predatórias e prejudiciais de formas análogas, mas diferentes. Esse tipo de encontro não é uma conquista ou realização para você, mas sim um problema para um futuro relacionamento saudável com uma mulher de sua idade. Não importa o que os amigos ou mesmo influências masculinas adultas pouco saudáveis em sua vida possam lhe dizer, tornar-se sexualmente ativo com uma mulher adulta é igualmente abusivo e deve ser evitado e denunciado a seus pais e à polícia.

Então, neste capítulo, nós lhe propusemos três desafios que o tornarão sexualmente responsável:

1. Não exporei meu corpo a doenças sexualmente transmissíveis.

2. Só farei sexo depois de me casar.

3. Não permitirei que outro homem toque meus órgãos genitais.

Você tem uma escolha a fazer. Ter relações sexuais antes do casamento o coloca em risco de contrair doenças sexualmente transmissíveis. Se você está fazendo sexo antes do casamento, existe a possibilidade de que a garota, ou garotas, com quem você tem relações sexuais esteja fazendo a mesma coisa com outros garotos. Consequentemente, você não tem ideia de quem ou quantos parceiros sexuais elas já tiveram. Também não sabe se elas têm uma ou mais doenças sexualmente transmissíveis. **Sexo antes do casamento pode ser como fazer roleta-russa com sua saúde e possivelmente com sua vida.** Vale mesmo a pena correr esse risco?

Sexo antes do casamento também coloca você em risco de engravidar a garota. Você está pronto para as responsabilidades se isso acontecer? Se você acha que o aborto seria uma saída fácil, deixe-nos lembrá-lo de que você não pode forçar a garota a fazer um aborto e, se ela optar por isso, pode muito bem se arrepender dessa decisão por toda a vida. Os rapazes também sofrem por anos com essa decisão. Nós lhe perguntamos: vale realmente a pena correr esse risco?

Não permitir que outros homens se aproveitem de você sexualmente pode exigir grande coragem, mas resistir a essas tentativas e relatar o que aconteceu a seus pais, ou a algum outro adulto de confiança, salvará você de lutas emocionais e sexuais incalculáveis, e possivelmente salvará outros também.

Esperamos que você escolha ser corajoso e tome a decisão sábia de ser sexualmente responsável.

PERGUNTE A SI MESMO...

1. Você se lembra de quando tomou consciência de sua atração sexual por garotas? Se ainda não se sente atraído, não se preocupe com isso.
2. Você já conversou com seus pais, ou com outro adulto, sobre sexo? Em caso negativo, o que o impede?
3. Por que, em sua opinião, quase todas as culturas têm regras claras sobre o que é e o que não é permitido entre homens e mulheres solteiros? Por que, a seu ver, a maior parte das religiões desencoraja o sexo antes do casamento?
4. Você tem tido sucesso em ser sexualmente responsável? Seja honesto em sua avaliação.
5. Se você já foi envolvido em relações sexuais, ou se alguém já tentou tirar vantagem de você sexualmente, como você reagiu? Já relatou isso a um adulto responsável?
6. Qual você considera ser a melhor maneira de evitar doenças sexualmente transmissíveis?
7. Como você acha que a pornografia poderia prejudicar seu relacionamento com sua namorada, se você tem uma, ou com sua futura esposa?
8. Como você acha que sua namorada, se você tem uma, ou sua futura esposa reagiria se ela descobrisse que você é viciado em pornografia?
9. Como você pode evitar a pornografia?

Você tem decisões a tomar. Esperamos que escolha corajosa e sabiamente.

AÇÕES A CONSIDERAR

- Pesquise no Google sobre as várias doenças sexualmente transmissíveis e leia sugestões para evitá-las.
- Considere conversar com seus pais ou com um adulto responsável sobre toda essa questão da sexualidade. Lembre-se de que eles já foram adolescentes e podem ajudá-lo.
- Considere pedir a seus pais ou a um adulto de confiança para ler e discutir este capítulo com você.

7

Escolha viver por mais tempo e mais feliz

Parte A: Evite drogas e álcool

Vamos começar este capítulo com uma verdade inegável: o uso de álcool e de drogas destruiu a vida de mais rapazes do que qualquer outra escolha na vida. Entre as idades de 11 e 16 anos, o cérebro humano está passando por uma fase de desenvolvimento extremamente importante. O álcool e as drogas interrompem esse desenvolvimento mental normal. Muitas vezes esses efeitos nocivos no cérebro deixam cicatrizes invisíveis, mas impactantes, para o resto da vida. As decisões tomadas sob a influência de álcool e de drogas podem levar à prisão ou até à morte.

Não se discute que nossa cultura popularizou o uso de álcool e drogas. Filmes, televisão e celebridades venderam a ideia de que o uso de álcool e drogas enriquece sua vida e são necessários se você deseja ser popular ou escapar da realidade. Porém, o fato é que os centros de reabilitação de drogas estão lotados de jovens e adultos que seguiram essa ideia. Eles estão tentando desesperadamente quebrar as correntes do vício que lhes trouxe uma dor tremenda.

Eu (Gary) me lembro do dia em que tomei a decisão de não ingerir álcool. Meu avô era alcoólatra. Minha família morava a três casas do meu avô, então eu o via com frequência. Era um homem gentil e agradável quando não bebia, mas podia ser crítico e mesquinho quando estava sob a influência do álcool. Ele costumava ir de sua casa (não tinha carro) até o lugar onde se juntava aos amigos para passar a noite bebendo e contando histórias. No final da noite, tinha de caminhar de volta para casa, mas a essa altura estava sempre bêbado.

Lembro-me da noite em que bateram à porta de casa e um senhor que eu não conhecia disse a meu pai: "Seu pai bebeu, caiu e está deitado junto ao meio-fio na rua. É melhor você ir ajudá-lo". Meu pai olhou para mim e disse: "Coloque seu casaco. Preciso de sua ajuda". Fui caminhando com meu pai sem saber o que veria. Quando chegamos, lá estava meu avô deitado junto ao meio-fio, balbuciando palavras sem sentido e falando duramente conosco ao nos ver. Meu pai e eu o levantamos, o levamos até sua casa e o colocamos na cama. Fui para casa com meu pai, sentindo pena de meu avô. Essa foi a noite em que decidi nunca beber álcool. Eu tinha 12 anos. Meu avô viveu vários anos depois disso, mas nunca foi capaz de se livrar da influência do álcool. Quando penso nele hoje, ainda sinto tristeza. Sempre fui grato por ter tomado essa decisão sábia.

Eu (Clarence) tive uma experiência muito diferente. Quando eu tinha 14 anos, uma prestigiosa escola preparatória de faculdade veio à nossa escola para recrutar alunos para o ensino médio. Eles selecionaram os primeiros sete rapazes a partir da classificação que fizeram no último ano do ensino fundamental. Infelizmente, fiquei em nono lugar. Fiquei desapontado e me senti rejeitado. A escola preparatória era impressionante, atraente e gratuita por causa das bolsas integrais que oferecia. Eu queria muito ter ido. Minha família era pobre. Parecia que eu sempre tinha problemas com meus pais, de modo que ansiava por uma nova aventura: morar longe de casa. De todo modo, não deu certo.

Quando meus amigos que frequentaram a escola preparatória voltaram para casa no Natal, eu mal podia esperar para ouvir todas as suas histórias sobre a nova escola. Fisicamente, eu nunca havia pisado em um *campus* de escola preparatória. Mentalmente, visitava a escola preparatória que meus amigos frequentavam por meio de suas histórias.

Nós nos reunimos na casa de um deles para nosso reencontro. Os rapazes da escola preparatória eram "deuses" aos olhos dos que não faziam parte dela. Esses "deuses", que ainda eram nossos amigos, falavam de toda a riqueza de sua escola, das três incríveis refeições diárias em um lindo refeitório, das salas de aula, dormitórios, academias e quadras de tênis. Estávamos atentos a cada palavra! A escola preparatória era para rapazes, mas eles falaram de outra escola preparatória irmã, com garotas lindas e ricas, e da diversão de seus eventos sociais.

MEUS AMIGOS, AS DROGAS E EU

Estávamos todos animados ouvindo suas histórias, mas o que veio em seguida até hoje eu nunca esqueci. Inesperadamente, eles baixaram a voz quando começaram a nos contar suas experiências com as drogas. Com os olhos bem abertos, ouvimos. Nenhum dos que não foram escolhidos pela escola preparatória tinha experimentado drogas porque sabíamos que, se fôssemos apanhados, nossos pais nos matariam! Quando estávamos no ensino fundamental, o governo dos Estados Unidos se comprometeu a lutar o que chamou de "Guerra às drogas". O comercial antidrogas mais eficaz da minha época tinha este *slogan*: "As drogas vão deixar você ligado ou vão desligá-lo?". Nós, que não éramos da escola preparatória, ficamos bem convencidos por esses comerciais de que as drogas não eram o melhor caminho a seguir, mas nossos velhos amigos nos contaram uma história diferente.

Quando começaram a falar sobre as drogas, seus olhos brilharam. Enquanto ouvia, fiquei surpreso ao saber quão acessíveis eram as drogas e que, para eles, as drogas eram gratuitas, sem ameaça de repreensão dos pais. Eles disseram que seus outros colegas de escola eram ricos e compravam drogas para eles. Falavam com entusiasmo ao relembrar suas várias experiências com drogas. Contaram sobre as drogas controlando sua mente e seu corpo. Em seguida, um deles disse que, enquanto estava sob o efeito de LSD, a sala começou a "respirar". Outros amigos contaram várias experiências de alteração da mente. Então, nossos amigos da escola preparatória nos ofereceram drogas de graça.

UMA ESCOLHA DE MUDANÇA DE VIDA

Na maior parte da minha vida até aquele ponto, eu havia sido popular, parte da turma descolada, mas certamente não o líder do grupo. Eu era mais um seguidor, porém esse dia deu início a uma mudança em minha vida. Não comprei a ideia de tomar uma substância que assumiria o controle da minha mente e do meu corpo. Quando chegou a hora da verdade e foi a minha vez de experimentar as drogas, eu disse: "Gente, vocês sabem que somos amigos. Espero que possamos continuar amigos, mas não vou usar drogas". E fui embora em seguida. Os rapazes me respeitaram, e eu os respeitei. Continuamos amigos. Eu saí sozinho, do jeito que cheguei. No caminho para casa, me senti bem comigo mesmo porque fiz a escolha certa e não violei minha consciência. Comecei a gostar mais de mim pelo que eu era. Meus amigos e eu ainda fizemos coisas juntos, mas naquele dia comecei a ter pensamentos próprios, a ser um líder, não apenas um seguidor de caras que eu achava legais. Na verdade, as drogas os tornaram um pouco chatos para mim. Algo dentro de mim me disse que, embora eu pudesse não ser visto como descolado, dizer não às drogas era a escolha certa a fazer.

Outra razão pela qual eu disse não às drogas foi porque estava tentando ser um grande jogador de basquete. Não podia correr o risco de deixar as drogas atrapalharem meus sonhos de jogar basquete na faculdade.

O ÁLCOOL E EU

Por outro lado, minha escolha de não ingerir álcool se deu de modo diferente. Duas tias minhas bebiam. Quando eu tinha 10 anos, uma delas me deu um gole de sua cerveja. O gosto amargo me fez criar aversão àquela bebida. A outra tia me deu um pouco de seu destilado. Os resultados foram os mesmos. Então, nos anos seguintes, não tive em nenhum momento o desejo de beber álcool.

Quando completei 16 anos, estava jogando basquete, e garotas e festas certamente estavam na minha agenda. Meu pai sabia que havia bebidas nas festas que eu frequentava. Então, um dia ele me levou até a cozinha e disse: "Eu sei que nas festas que você frequenta há álcool, e imagino que haja drogas também. Se eu o pegar com drogas, mato você! Mas se quiser beber, prefiro que faça isso em casa". Ele me deu uma garrafa de bebida e disse: "Beba o quanto quiser". Eu não consegui fazer isso. **De**

alguma forma, naquele momento, esse gesto dele matou meu desejo de beber álcool, e tomei a decisão sábia de não bagunçar a mente com álcool. Depois que tomei a decisão de não beber, meu pai tirou todo o álcool da casa.

Minha decisão (de Gary) de ficar longe das drogas está gravada em minha mente para sempre. Foi numa bela tarde de outono. Eu estava jogando basquete no quintal com amigos. Atrás da área onde estávamos jogando havia um grande campo coberto de vegetação de verão. De repente, ouvimos o ronco de uma motocicleta, olhamos para cima e vimos uma cruzar a via voando para o campo. Corremos para o local do acidente e percebemos que o piloto estava gravemente ferido. Um de meus amigos correu de volta para casa e pediu ajuda. Tentamos falar com o piloto da motocicleta, mas ele não parava de gritar, sem ouvir o que tentávamos dizer. Logo os paramédicos chegaram e cuidadosamente o retiraram da motocicleta e o colocaram na ambulância, partindo em seguida. Acho que nunca vou remover essa imagem da minha mente. Tive muita pena do rapaz e fiquei muito chateado.

Na semana seguinte, descobrimos que o jovem estava sob forte efeito de drogas quando saiu da via. Essa foi a noite em que prometi a mim mesmo que nunca experimentaria drogas. Não sei o que aconteceu ao rapaz, se viveu ou morreu. Mas eu sabia que não queria trilhar esse caminho.

AS CONSEQUÊNCIAS DO USO DE ÁLCOOL E DROGAS

Como homens mais velhos, olhamos agora para nossos amigos que escolheram o caminho mais popular e se envolveram com álcool e drogas na adolescência. Eles podem ter parecido bacanas no colégio, mas a maioria deles não está em condições legais agora. A maioria nos diz: "Quem dera eu não tivesse usado drogas naquela época, porque estou pagando por isso até hoje!".

Alguns dos rapazes que usaram drogas naquela noite quando estávamos na casa do meu amigo (de Clarence) não se deram bem. Alguns se tornaram viciados em drogas. Quando volto para minha cidade natal, é triste vê-los hoje como adultos. Alguns têm problemas mentais, e outros têm uma série de relacionamentos desfeitos e dificuldade em manter um emprego. Alguns deles são sem-teto. Vivem em um abrigo e estão muito envelhecidos. As drogas cobraram um preço altíssimo de seu corpo. Nem todos que usaram drogas se tornaram viciados. Alguns passaram a ter empregos responsáveis e se tornaram cidadãos produtivos na comunidade. Por eles, sou grato.

Há alguns anos, fiz amizade com o cozinheiro de um clube de tênis da cidade de Tulsa. Era um viciado em cocaína em recuperação que estava limpo fazia anos. Mas algo aconteceu: ele ficou deprimido e usou cocaína novamente para tentar escapar de seus problemas. Teve uma recaída e perdeu o emprego, o apartamento, tudo.

Um dos meus vizinhos era um viciado em metanfetamina em recuperação. Quando o conheci, estava limpo havia um ano e dez meses. Teve uma recaída e lutou diariamente contra a força de seu vício. Além disso, ele lutava contra a ameaça de perder a esposa e os filhos, e foi o que aconteceu. Morreu recentemente. Seu irmão disse: "Ele nunca conseguiu derrotar seu vício em drogas". São essas situações que me deixam aliviado por ter tomado a decisão sábia de não bagunçar a mente com álcool e drogas.

A ESCOLHA É SUA: QUAL DECISÃO VOCÊ TOMARÁ?

Anos atrás, eu (Clarence) ouvi um conselheiro da liga profissional de basquete dizer aos jogadores que estavam estreando na temporada: "Vocês terão escolhas, decisões e consequências". E continuou: "As decisões que vocês tomam sempre têm consequências. Vocês estão dispostos a pagar pelas consequências de suas decisões?". Foi um lembrete solene para mim de que minhas escolhas foram extremamente importantes.

Nunca conhecemos um indivíduo que se arrependesse de ter decidido se recusar a bagunçar o cérebro com álcool e drogas. Porém, nós dois conhecemos centenas de indivíduos que tomaram a decisão popular de experimentar drogas quando jovens e se arrependeram muito dessa escolha. E você? As drogas e o álcool vão deixar você ligado ou vão desligá-lo? Vale a pena o risco?

PERGUNTE A SI MESMO...

1. Já lhe ofereceram drogas ou álcool? Você aceitou ou rejeitou a oferta? O que o levou a tomar essa decisão?
2. Se você usa drogas e álcool, por que faz isso? Você tem amigos envolvidos com o abuso de drogas e álcool? O que pode aprender com a escolha deles?
3. Amigos de verdade pediriam que você arriscasse danificar seu cérebro ou ir para a cadeia por uso ilegal de drogas?
4. Seus pais influenciaram você positiva ou negativamente no que diz respeito às drogas? O que você gostaria de dizer a seus pais?
5. Considere:
   Quando você toma a decisão de recusar álcool e drogas, você se torna um líder e influencia os outros positivamente.

8

Escolha viver por mais tempo e mais feliz

Parte B: Evite tabaco e maconha

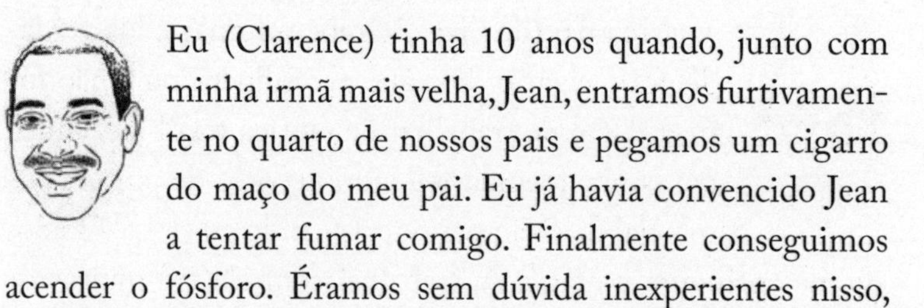

Eu (Clarence) tinha 10 anos quando, junto com minha irmã mais velha, Jean, entramos furtivamente no quarto de nossos pais e pegamos um cigarro do maço do meu pai. Eu já havia convencido Jean a tentar fumar comigo. Finalmente conseguimos acender o fósforo. Éramos sem dúvida inexperientes nisso, além de estarmos nervosos, não querendo ser pegos!

Quando acendemos o cigarro, ambos inalamos algumas vezes, o que foi imediatamente seguido de muita tosse. Nenhum dos dois gostou do sabor do cigarro do meu pai. O que nos levou a experimentar cigarro? Acho que queríamos ser como ele. Nosso pai trabalhava numa empresa de cigarros, e parecia que a maioria dos adultos que conhecíamos fumava. E, nas reprises de filmes antigos na tevê, todos os atores e atrizes fumavam. Parecia ser o que diferenciava os adultos. Acho também que queríamos ver o que estávamos perdendo porque nossos pais nos haviam dito que não podíamos fumar.

Durante meus anos de ensino médio, fumar era comum entre os alunos. Mas a grande maioria dos dois mil alunos da minha escola não fumava. Como atleta, me disseram que não fumasse porque dificultava a respiração. Nossos treinadores acreditavam que fumar prejudicava os pulmões. Eu queria ser atleta e tinha baixa estatura, então receava que fumar dificultasse meu crescimento. Não sabia se isso era verdade ou não, mas queria desesperadamente ser mais alto, por isso não podia arriscar.

Para alguns colegas, fumar foi o primeiro passo na direção de outras drogas, embora certamente isso não fosse verdade para todos que fumavam. De fato, alguns amigos meus do ensino médio que fumavam passaram a usar maconha. Eu, porém, decidi não fumar.

Meu pai (de Gary) também fumava. Na verdade, foi o cigarro dele que me influenciou a não fumar. Além de trabalhar na fábrica têxtil local, meu pai também cuidava de um negócio de pintura comercial de meio período. Quando eu tinha 13 anos ele me ensinou a pintar, e eu trabalhei com ele em muitos de seus projetos. Esse foi o ano em que decidi não fumar. Meu pai tinha um problema crônico de tosse. Seu médico lhe disse que isso se devia ao cigarro. No entanto, ele continuou fumando. Lembro-me de que um dia, quando estávamos pintando, meu pai estava no topo de uma escada e sua tosse se tornou tão forte que ele teve de descer. Quando pisou o chão, estava numa crise de tosse profunda e contínua. Passada enfim a crise, eu o vi retirar o maço de cigarros do bolso, torcê-lo com as duas mãos, jogá-lo no chão e dizer: "Nunca mais vou fumar!". Por dentro fiquei muito orgulhoso de meu pai. Foi o dia em que decidi que nunca fumaria. Eu não queria ter os problemas físicos do meu pai. Desde então ele nunca mais fumou. Quando sentia vontade de fumar, colocava uma pequena pastilha de hortelã na boca como substituto e assim terminou seu vício em tabaco.

Acredite ou não, naquele tempo ninguém sabia que o tabaco causava câncer. Embora fosse óbvio que fumar provocava falta de ar acompanhada de tosse seca, ninguém se dava conta de que era um hábito mortal. Hoje, enquanto dirigia para o trabalho, ouvi numa rádio um médico dar a seguinte declaração: "O principal agente causador de câncer neste país é o tabaco. Devemos encontrar um meio de ajudar os jovens a tomar a decisão de evitar o uso de tabaco". Não ouvi o nome do médico, mas o que ele disse é de conhecimento corriqueiro entre os envolvidos nas pesquisas de câncer.

Devido a esse conhecimento sobre a ligação entre cigarros e o câncer, em 2004, Hollywood começou a reduzir as cenas com cigarros em seus filmes. Por que eles tomaram essa decisão? Foi uma resposta às seguintes realidades:

- 90% dos fumantes começaram a fumar antes dos 21 anos.
- Todos os dias, quase 3.900 adolescentes com menos de 18 anos experimentam seu primeiro cigarro. Mais de 950 deles se tornarão fumantes diários.
- Cerca de 30% dos adolescentes que fumam continuarão fumando e morrerão prematuramente de alguma doença relacionada ao tabagismo.
- Adolescentes que fumam são mais propensos a ter ataques de pânico, distúrbios de ansiedade e depressão.
- Um em cada cinco adolescentes viciados em cigarros fuma de 13 a 15 cigarros por dia.
- Aproximadamente 1,5 milhão de maços de cigarros são comprados anualmente por menores de idade.
- Fumar pode envelhecer a pele mais rapidamente, ficando atrás apenas do efeito que a exposição ao sol causa sobre a formação de rugas prematuras.

- Em média, os fumantes morrem 13 a 14 anos mais cedo do que os não fumantes
- Segundo agências de saúde do governo federal, os adolescentes que fumam são três vezes mais propensos a usar álcool, oito vezes mais propensos a fumar maconha, e 22 vezes mais propensos a usar cocaína.
- Os pulmões dos adolescentes que fumam não se desenvolvem totalmente, o que os coloca em maior risco de doenças pulmonares.[1]

POR QUE NÃO FICAR LIGADO?

Assim como nos velhos tempos do hábito de fumar, muitas pessoas dizem que a maconha é inofensiva. Dizem que ela só tranquiliza e relaxa. A maconha, como qualquer droga, controla você. Você não a controla. Essa realidade sempre foi nossa preocupação, e é por isso que o desafiamos e a outros rapazes a tomar a decisão sábia de recusar a maconha.

Sempre que for tomar decisões, um princípio fundamental é analisar os efeitos em curto e em longo prazo de suas escolhas. Procure enxergar a situação como um todo. Eis aqui alguns fatos bem estabelecidos sobre o uso da maconha.[2]

Efeitos em curto prazo

Em baixas doses, a maconha produz:

- Memória e capacidade de aprendizado fracas
- Dificuldade para pensar e resolver problemas
- Coordenação muscular e julgamento ruins
- Baixa sustentação da atenção
- Comportamento perigoso ao dirigir

- Percepção alterada de tempo e espaço
- Desejo intenso de comer

Em doses maiores, a maconha produz:

- Alucinações
- Delírios
- Memória ruim
- Perda de noção da própria localização
- Ataques de ansiedade ou sentimentos de paranoia
- Depressão

Efeitos em longo prazo:

- Câncer. A maconha contém os mesmos elementos químicos causadores de câncer encontrados na fumaça do cigarro.
- Problemas respiratórios. Cria os mesmos tipos de problemas respiratórios que o cigarro: tosse e chiados.
- Sistema imunológico. O THC da maconha pode danificar os tecidos e as células do corpo que auxiliam na proteção contra doenças.
- A memória, a aprendizagem e a energia são prejudicadas.
- Fertilidade. Os hormônios reprodutivos se reduzem. Nos homens, há menos testosterona, causando diminuição da contagem de espermatozoides e possível disfunção erétil. Nas mulheres, pode haver ciclos menstruais irregulares. Ambos os problemas podem resultar em diminuição da capacidade de concepção, mas não levariam a uma infertilidade completa.
- Defeitos congênitos em crianças por nascer.

(Fonte: <www2.courtinfo.ca.gov/stopteendui/teens/resources/substances/marijuana/short-and-long-term-effects.cfm>.)

Vejamos também a combinação direção e maconha. Fumar maconha desacelera a resposta aos sons e às visões, tornando o motorista perigoso. A maconha induz ao sono, distorce o senso de tempo e espaço e diminui a capacidade de adaptação à luz e à escuridão. Também diminui a capacidade de lidar com uma série de tarefas rápidas ao dirigir. Portanto, o maior problema de um usuário de maconha enquanto dirige são os eventos inesperados, como um carro que se aproxima por uma rua lateral ou uma criança que corre para a rua. O tempo maior de reação piora ao dirigir à noite, pois a maconha causa grande perda de visão noturna. Assim, não apenas pedimos que você tome a decisão sábia de não usar maconha, mas também advertimos que nunca entre em um carro com alguém que esteja sob o efeito da maconha.

Alguns de vocês podem estar pensando: se eu (Clarence) vivo em um estado onde a maconha é vendida legalmente, qual é o problema? É verdade que nesses estados você não estará infringindo a lei. Mas, infelizmente, só porque algo é legal, não significa que seja benéfico. De acordo com Bill Briggs, um estudo sobre maconha no estado do Colorado afirma que a maconha legalizada contém níveis mais altos de THC, o que significa que "a maconha legal do Colorado é quase duas vezes mais potente que a erva ilegal das últimas décadas".[3] O que isso quer dizer? Quer dizer que, se comprar e usar maconha legalizada, você precisará multiplicar por dois toda a lista de fatores negativos.

MACONHA E ESCAPISMO

Alguns de vocês podem achar que as pressões da vida, tais como a convivência doméstica difícil, as adversidades na escola ou outros problemas pessoais lhes dão uma razão justificável para usar a maconha e escapar de suas circunstâncias atuais. O problema de tentar escapar pelo uso da maconha é que, quando você já não estiver chapado, seus problemas ainda existirão. Na verdade, você pode aumentar seus problemas porque a droga diminuirá sua saúde. **A melhor maneira de lidar com seus problemas pessoais é buscar seus pais ou adultos de confiança e permitir que eles o ajudem a encontrar maneiras saudáveis de lidar com tais problemas.**

USAR MACONHA VALE SUA SAÚDE?

Nós dois conhecemos muitas pessoas que começaram a fumar quando adolescentes, passaram a usar maconha e, depois, álcool e outras drogas. Boa parte de nossa vida se passa em nosso consultório de aconselhamento tentando ajudar essas pessoas. Vemos como esse caminho pode ser destrutivo. Eu (Clarence) tenho dois amigos que começaram a usar maconha na adolescência. Ambos são mais jovens que eu, mas parecem bem mais velhos. Um deles agora fala muito devagar e tem dificuldade para processar informações. Sua memória se deteriorou drasticamente. Observar esses homens ao longo dos anos e ver inúmeros outros na cadeia ou vivendo nas ruas é todo o incentivo de que preciso para dizer não à maconha e a outras drogas que alteram a mente.

ESSA ESCOLHA DEVERIA SER FÁCIL!

Usar ou não tabaco, maconha ou qualquer outro tipo de droga nos parece uma questão óbvia. Simplesmente não vale a pena. A vida já é difícil o suficiente com os problemas existentes.

Não há necessidade de aumentá-los caminhando na estrada das drogas.

Somos ambos adultos que desfrutam de uma relação matrimonial amorosa e criamos nossos filhos. Eu

(Gary) agora também aprecio compartilhar a vida com meus dois netos. Odiamos pensar onde estaríamos caso tivéssemos escolhido o caminho das drogas.

Há três semanas visitei um homem ligado a um cilindro de oxigênio com tubos de plástico no nariz para poder respirar. Ele tossia periodicamente durante nossa conversa, quando disse: "Quem dera eu nunca tivesse começado a fumar cigarros quando adolescente. Nunca usei maconha ou outras drogas, foi só o tabaco que dificultou minha vida, e sei que logo vou morrer". Fiquei profundamente comovido com sua declaração porque percebi que, se tivesse feito a escolha de fumar na adolescência, talvez agora eu também estivesse preso a um cilindro de oxigênio.

Mas você poderia pensar: "E quanto ao cigarro eletrônico? Não inalo fumaça, apenas vapor de água". Duas coisas me vêm à mente. Primeiro, os cigarros eletrônicos fornecem as mesmas drogas que seus primos folhosos. Segundo, eles são *supostamente* menos destrutivos para seus pulmões. Lembre-se da história dos cigarros, de atores, publicitários e até mesmo alguns médicos que pensavam que eles na verdade proporcionavam benefícios à saúde. Os efeitos em longo prazo do cigarro eletrônico ainda não são conhecidos, mas as propriedades viciantes dos ingredientes ativos não são um mistério. Não opte por ser um rato de laboratório desse setor industrial.

A hora de pensar na saúde é agora. Você só tem dois pulmões, e eles devem durar por toda a sua vida. Eles são como os dentes: você deve cuidar deles agora para que eles cuidem de você mais tarde. A escolha é sua. Esperamos que seja corajoso e tome a decisão sábia de se recusar a destruir seus pulmões com tabaco e maconha.

Gostaríamos de encorajá-lo a falar sobre essa escolha com seu pai, sua mãe ou um adulto de sua confiança. Talvez você queira discutir com eles as questões a seguir.

PERGUNTE A SI MESMO...

1. Você já fumou cigarro? Se sim, quantos anos tinha na época?
2. Se já fumou cigarro ou maconha, como se sentiu ao fumar? Fez com que se sentisse mais velho, mais forte, mais parecido com o que você imagina que um homem deveria ser? Por que você acha que precisa fumar para se sentir assim?
3. Você fumou ou fuma por causa da pressão dos colegas? Acha que fumar para impressionar seus amigos é algo sábio? Se você precisa fumar para impressioná-los, será que eles realmente são seus amigos?
4. Se você fuma, faz isso legalmente? Se está infringindo a lei, como se sente a esse respeito? Se estiver fazendo isso, está disposto a enfrentar as consequências?
5. Independentemente de estar ou não fumando cigarro ou maconha, já pensou sobre os efeitos em curto e em longo prazo sobre sua saúde? Já pensou sobre os efeitos da maconha enquanto dirige (se tiver idade para isso)?
6. Se você tem idade para dirigir, já dirigiu enquanto estava chapado e com seus amigos no carro com você? Consegue imaginar como se sentiria se, enquanto dirigia sob efeito da maconha, houvesse um acidente e um de seus amigos morresse?

7. Se você é ou quer ser um atleta, como se sentiria se sua equipe perdesse um jogo porque você estava sob efeitos da maconha? Você acha que algum deles aceitaria suas desculpas?

9

Escolha construir amizades diversificadas

Uma das realidades dos seres humanos é que somos diferentes. Alguns são altos, outros baixos, alguns falam inglês, enquanto outros falam chinês, ou francês, ou alemão, ou espanhol, ou dezenas de outros idiomas. A cor de nossa pele

também é diferente. Eu (Gary) me lembro de uma canção que aprendi quando criança: "Crianças, crianças no mundo inteiro, crianças de toda língua e cor, crianças, crianças no mundo inteiro, crianças queridas do Salvador". Sempre fui grato por meus pais terem me ensinado essa canção. Acho que foi a certeza de que Deus ama todos os seres humanos igualmente que facilitou meu relacionamento com pessoas cuja cor de pele difere da minha.

Na minha adolescência, o mundo era muito diferente. Os afro-americanos frequentavam uma escola e os brancos outra. Também era assim com a igreja e as comunidades onde vivíamos. E no entanto, como seres humanos, tínhamos maneiras de nos relacionarmos uns com os outros como amigos. Meu primo, que era meu vizinho, tinha uma cesta de basquete no quintal. Todas as tardes e aos sábados, jovens adolescentes da comunidade negra vinham ao nosso quintal e nós nos juntávamos para jogar basquete. Foi uma época divertida. Era um dos lugares onde podíamos nos relacionar de igual para igual. Ainda tenho boas lembranças daqueles jogos porque jogávamos em times misturados, não um contra o outro. Éramos simplesmente adolescentes vivendo num mundo que não havíamos criado, mas encontramos maneiras de desenvolver amizades através das linhas raciais. Não havia adolescentes nativos americanos, latinos ou asiáticos vivendo perto de nós, mas tenho certeza de que se houvesse eles teriam sido convidados a jogar conosco.

Fico animado com o fato de que atualmente, quando tudo é muito diferente do tempo em que cresci, todas as raças frequentam a escola juntas. As pessoas podem viver legalmente em qualquer comunidade que desejem, e todos os esportes são abertos a negros, brancos e outras raças. Entretanto, entristece-me que, embora tenhamos mais oportunidades de interagir com pessoas de origem diferente, muitas vezes não desenvolvemos amizades inter-raciais.

TODOS IGUAIS AOS OLHOS DE DEUS

Desenvolver amizades com pessoas de outra raça não é fácil. Às vezes você será questionado pelos membros de sua própria raça sobre o porquê de estar se associando e sendo amigável com pessoas que não se parecem com você. Podem até acusá-lo de abandonar a própria raça. Isso é especialmente verdadeiro em meu país, onde temos uma história de escravidão e durante gerações os brancos dominaram os negros, o que gerou enorme ressentimento. Sou profundamente grato porque muito antes de eu ter nascido esse capítulo da história de meu país havia chegado ao fim e os escravos haviam sido libertados. Entristece-me que tantas pessoas tenham sido (e com tanta frequência ainda são) tratadas como cidadãos de segunda classe. Muitos brancos tiveram uma atitude de superioridade, e muitos negros tiveram a sensação ou a experiência de ser perseguidos. Entristece-me ainda mais o fato de que, na cultura de hoje, ainda notamos muito ressentimento entre negros e brancos. Por causa desse passado, muitos brancos e negros acolhem muito melhor as culturas asiáticas, hispânicas e indígenas do que se aceitam uns aos outros.

Acredito que isso pode ser mudado se pudermos redescobrir a realidade de que **somos todos iguais aos olhos de Deus, tratando uns aos outros como iguais.** Acredito que sua geração pode fazer isso acontecer. Acho que não acontecerá por meio de decisões políticas, mas sim sempre que alguém de uma raça se tornar amigo de uma pessoa de outra raça.

Eu (Clarence) acredito que há muitos benefícios em desenvolver amizades interculturais ou inter-raciais. Um deles é que aprendemos a ver as pessoas como indivíduos e não simplesmente como nativos, asiáticos, africanos, hispânicos ou anglo-americanos. Percebemos que em todos os grupos raciais cada indivíduo é importante. Normalmente, construímos amizades com pessoas que encontramos no fluxo normal da vida. Como mencionei anteriormente, quando era adolescente, eu adorava basquete. Andava mais de seis quilômetros e entrava sorrateiramente no ginásio de esportes da Universidade Wake Forest para jogar contra estudantes universitários. Eu queria ser o melhor, o que só acontece se a pessoa joga com os melhores.

Numa dessas oportunidades conheci Denny Hooks, filho de Gene, diretor atlético da Wake Forest. No começo eu não gostava do Denny. Não por ele ser branco, mas porque ele e eu éramos muito competitivos. Muitas vezes ficávamos "escoltando" um ao outro. Denny foi um dos melhores arremessadores livres que já conheci. Ele e eu desenvolvemos uma amizade por causa do respeito mútuo em relação a nossas habilidades no basquetebol. Conversávamos após os jogos e ele me convidava para comer em sua casa. Naquele tempo, tínhamos uma liga de basquete totalmente negra na Associação Cristã de Moços. Embora as leis de direitos civis houvessem sido aprovadas, na realidade grande parte da cidade ainda continuava segregada. Denny me surpreendeu um dia quando perguntou se ele e alguns de seus amigos poderiam se juntar à nossa liga negra. Relutantemente, eu disse que sim, mas me perguntei como protegeríamos esses rapazes brancos na parte negra da cidade.

De fato, ganhamos o primeiro jogo. Nesse jogo, Denny sofreu uma falta grave que os árbitros, que também eram negros, não marcaram. Eu estava prestes a bater no jogador que o atingiu quando Denny me disse: "Clarence, eu tenho de ganhar meu respeito nesta liga também! Consigo lidar com o jogo físico". Naquele momento, ele se tornou meu irmão por causa de sua firmeza. O fato de Denny ser branco nunca foi problema para mim. Ele era um amigo que compartilhava o interesse comum de jogar basquete.

Em cada grupo racial há pessoas boas e más. Isso não tem nada a ver com a cor da pele, mas tem tudo a ver com a atitude. Aqueles que escolhem investir a vida ajudando os outros verão as pessoas como indivíduos e procurarão fazer amizade, independentemente da origem racial. **Aqueles que escolherem se concentrar nas coisas negativas que lhes aconteceram na vida sentirão que devem buscar vingança.** Farão coisas que não só prejudicarão os outros, mas também, em última instância, a si próprios.

Eu (Gary) me lembro do dia em que um senhor mais velho me perguntou: "Quem é o sujeito negro com quem você esteve hoje na igreja?". Eu respondi: "Ele não é um sujeito negro, é o Clarence". Quando somos amigos, não nos concentramos na identidade racial um do outro, mas também não a ignoramos. Ao contrário, vemos esse outro como uma pessoa com grande potencial e escolhemos estar ao seu lado como um amigo que o ajuda a alcançar seu potencial.

A segunda vantagem de construir amizades com aqueles que têm um passado diferente do seu é que um aprende muito com o outro. Após meu segundo ano na faculdade, eu (Gary) trabalhei como conselheiro num programa de acampamento de verão para jovens estudantes afro-americanos. Eu era o único conselheiro branco em todo o acampamento. Havia doze rapazes negros em minha subdivisão, pessoas de quem gostava muito. Eles enriqueceram minha vida, e eu gosto de pensar que retribuí o favor. Nunca esquecerei a lição que aprendi com um jovem a quem chamarei T. J. No acampamento T. J. decidiu ser um seguidor de Jesus. Havíamos debatido os princípios da honestidade e falado em assumir responsabilidade por nossas ações e, se fizéssemos algo errado, deveríamos confessar e procurar fazer a restituição. T. J. me disse: "Há quatro anos eu roubei uma loja. Agora que estou seguindo Jesus, sinto que tenho a responsabilidade de confessar ao dono da loja o que fiz e receber qualquer punição que eu mereça". Eu disse: "Você sabe que se fizer isso há a possibilidade de ir parar na cadeia". Ele me olhou diretamente nos olhos e respondeu: "Eu sei, e estou disposto a isso. Quero assumir a responsabilidade por minha má ação".

Ele me perguntou se eu iria com ele para confessar seu furto. Eu não tinha carro, então respondi: "Deixe-me falar com o diretor do acampamento e ver se ele nos oferece um carro. Se ele o fizer, irei com você". O diretor do acampamento era um homem muito sábio. Ele nos encorajou a fazer a viagem até a pequena cidade de Sweetwater, Tennessee. T. J. sabia onde morava o dono da loja. Era um homem branco. Batemos juntos à porta da frente. Quando o homem chegou à porta, T. J. disse: "O senhor deve se lembrar de quatro anos atrás, quando algumas coisas foram roubadas de sua loja. Eu nunca fui pego, mas sou o rapaz que roubou essas coisas do senhor. Estive no acampamento bíblico neste verão, me tornei um seguidor de Jesus e estou tentando corrigir os erros da minha vida. Por isso, vim para me confessar e fazer o que for preciso para consertar as coisas".

O dono da loja olhou para mim e disse: "E o senhor, quem é?". Eu disse: "Sou conselheiro no acampamento bíblico e vim com o T. J. porque ele queria confessar ao senhor suas transgressões". O homem estava atrás da porta semiaberta, mas nesse momento saiu para a varanda. Segurou uma das mãos de T. J., olhou-o nos olhos e disse: "Rapaz, eu também sou seguidor de Jesus e quero lhe agradecer pela coragem de vir confessar seu erro. E, porque você confessou, quero perdoá-lo e dizer que estou orgulhoso de você". Eles se abraçaram e choraram, e eu também. Foi o dia em que aprendi a confessar minhas faltas àqueles a quem magoei, e também a perdoar aos que me fizeram mal. Foi uma das lições mais importantes que já aprendi, e espero que vocês também a aprendam.

Enquanto eu (Clarence) escrevo este livro, percebo quanto aprendi com Gary Chapman. Contei anteriormente como nos conhecemos no ginásio da igreja onde ele trabalhava com jovens. Eu ia à sua casa quase todas as sextas-feiras à noite e era frequentemente convidado também aos sábados. Quando eu tinha 20 anos, meu pai morreu e Gary se tornou meu segundo pai. Ele fez meu aconselhamento pré-matrimonial com Brenda e foi meu padrinho de casamento. É um avô para minhas filhas, e eu considero seus filhos como meu irmão e irmã mais novos.

RESPEITANDO AS DIFERENÇAS

Outro benefício das amizades inter-raciais é que aprendemos a respeitar as diferenças em vez de condená-las. Eu (Clarence) sempre me lembrarei da oportunidade que tive de ir ao Brasil jogar contra a equipe olímpica de basquete. Meus amigos brasileiros me ensinaram português suficientemente para que eu pudesse me apresentar, desenvolver uma breve conversa e contar como conheci a Cristo. Os rostos dos brasileiros se iluminaram quando falei em sua língua, e meu rosto se iluminou com sua hospitalidade.

Enquanto estive no Brasil, os parentes dos que me ensinaram português convidaram outro jogador e eu para jantar. Tudo estava bem até que eles nos serviram salada. Haviam nos dito que não comêssemos legumes ou salada que não estivesse cozida. Havia preocupações com a saúde. Nossos anfitriões brasileiros começaram a comentar em português, dizendo: "Eles acham que nossa salada não está limpa". (Eu entendia o que eles diziam.) Meu colega de equipe e eu os ofendemos em sua própria casa. Eu disse a meu companheiro de equipe que precisávamos comer a salada deles, ainda que adoecêssemos. Ele se recusou. Eu escolhi comer a salada, e eles sorriram. E não fiquei doente. **Fazer amizades com pessoas de outros países e de diferentes origens raciais amplia o mundo de cada um, fazendo-o compreender mais profundamente as**

diferenças culturais. Tais experiências ajudam você a aprender mais sobre si mesmo.

Outra diferença que se destaca é o modo como as pessoas falam nossa língua. Normalmente dizemos que as pessoas têm dialetos diferentes. Alguns deles têm a ver com o local onde as pessoas cresceram. Por exemplo, o dialeto sulista é muito diferente do dialeto do leste do país, mesmo que as pessoas tenham a mesma origem racial. No entanto, algumas dessas diferenças estão enraizadas em nossos antecedentes raciais. Um jovem da Índia fala a língua inglesa com um sotaque muito diferente de uma pessoa que cresceu nos Estados Unidos. Se você não conhece a pessoa, pode pensar: "Ele tem um sotaque estranho". Mas se você se tornar amigo dele, provavelmente dirá: "Eu gosto de seu sotaque". O passado racial também afeta nosso vocabulário. Eu (Gary) aprendi muitas palavras novas quando comecei a desenvolver amizades com pessoas de diferentes raças. É sempre fascinante desenvolver o vocabulário e aprender novas palavras.

Os pontos de vista políticos são motivos de separação. Pessoas de diferentes origens raciais muitas vezes têm visões políticas diversas. Se você foi criado numa família conservadora, pode se perguntar como alguém poderia ser um progressista. O mesmo ocorre com aqueles criados em famílias que sempre votaram em partidos de esquerda. Mas quando vocês se tornam amigos, podem falar livremente com os outros sobre a razão de suas opiniões políticas, e você pode vir a apreciar a perspectiva do outro em vez de condená-la. **Amigos podem ter perspectivas diferentes sobre muitos assuntos, mas não devem permitir que suas diferenças os separem**. Amigos são comprometidos com o bem-estar um do outro. Podem discutir questões, compartilhar pontos de vista e até mesmo discordar, e ainda assim ser comprometidos em ajudar um ao outro.

As amizades também expandem a experiência de cada um. Eu (Gary) nunca esquecerei a primeira vez que vi uma pinhata. Eu estava em Honduras com um amigo. Achei fascinante assistir enquanto as pessoas pegavam paus e batiam na pinhata esperando que os doces caíssem. Logo me juntei a eles nessa diversão. Foi uma experiência nova para mim, que nunca esquecerei e da qual ainda desfruto. E quando eu estive no Brasil vi casas flutuantes pela primeira vez, literalmente construídas sobre o rio. A casa sobe e desce à medida que o rio aumenta e diminui seu volume. Vi o primeiro barco escolar, semelhante a um ônibus escolar, pintado de amarelo brilhante como um ônibus, que parou nas casas flutuantes para pegar as crianças e levá-las à escola. Foi uma experiência fascinante, da qual sempre me lembrarei.

Nós dois discutimos muito se a relação entre as raças em nosso país vão melhorar ou não. Não podemos responder a essa pergunta. Mas acreditamos que, se isso acontecer, será com uma amizade de cada vez. Desafiamos você a tomar a decisão sábia de escolher ser corajoso e não julgar as pessoas por suas características físicas. **A cor da pele e do cabelo são características externas.** Nunca devemos esquecer que todos os seres humanos são criados iguais. Certamente temos diferenças, mas elas nunca devem nos dividir, ao contrário, devem melhorar nossa vida.

PERGUNTE A SI MESMO...

1. Você já se sentiu maltratado ou ignorado por ser diferente dos demais?

2. Você tem amigos de alguma cultura diferente? Se sim, como isso aconteceu? O que aprendeu com seu amigo transcultural? Você é uma pessoa melhor por causa dessa amizade? Em que sentido?
3. Você tem dificuldades com pessoas diferentes de você? Se sim, por quê? Por que, a seu ver, as pessoas prejulgam os outros?
4. Você conhece alguma língua estrangeira? Já teve a oportunidade de falar essa língua estrangeira a um nativo dessa língua? Em caso afirmativo, como ele reagiu?
5. Você já se esforçou para ajudar um amigo ou uma pessoa de outra cultura?
6. Você aceitará nosso desafio de lembrar que todas as pessoas são criadas igualmente? E você se recusará a discriminar alguém por ele/ela ser diferente de você?

10

Escolha investir tempo em ajudar os outros

Todos nós passamos a vida fazendo algo. O que fazemos pode melhorar a vida de alguém ou lhe trazer dor profunda. Nós dois passamos muitas horas ouvindo mães chorarem pelo que seus filhos fizeram e os levou à prisão. Também escutamos esses filhos compartilharem a própria dor. Um rapaz de 17 anos disse: "Eu não queria machucar ninguém. Sabia que não deveria beber e dirigir, mas fiz isso e agora ele está morto. Não sei se poderei me perdoar". Esse rapaz não tinha a intenção de trazer dor à vida de outros, mas foi o que fez. Tudo o que fazemos tem impacto positivo ou negativo sobre a vida de alguém.

Por sermos humanos, todos somos também autocentrados. Em nossa mente, o mundo gira ao nosso redor. Isso pode ser bom se você se preocupa consigo e com seu corpo e se cuida fazendo exercícios, comendo bem e dormindo o suficiente. Mas se você pensa *demais* em si mesmo, isso pode levar ao egoísmo. Quando nos tornamos egoístas, pensamos apenas no que podemos obter da vida. Essa atitude pode nos levar a ferir os outros num esforço para nos fazer felizes. Quanto mais tempo vivermos com essa atitude, mais pessoas magoaremos. No final, lamentaremos o que fizemos.

A boa notícia é que escolhemos nossa atitude. Podemos escolher o egoísmo, ou podemos escolher amar e cuidar dos outros. Quando escolhemos a atitude de amor, procuramos maneiras de ajudar os outros e, ao fazê-lo, encontramos grande satisfação. Albert Schweitzer escolheu a atitude de amor. Ele foi um médico que escolheu investir sua vida não em ganhar dinheiro, mas em ir para a África e ajudar milhares de pessoas que tinham pouco acesso a auxílio médico. Perto do final da vida, ele recebeu o Prêmio Nobel da Paz. Ao aceitar o prêmio, disse o seguinte: "Os únicos entre vocês que serão realmente felizes são aqueles que buscarem e descobrirem como servir".[1]

Concordamos plenamente com Albert Schweitzer. Nós dois, como conselheiros matrimoniais e familiares, investimos a vida na tentativa de ajudar maridos e esposas a aprender a amar um ao outro e a seus filhos. Investimos horas ouvindo as pessoas expressarem sua profunda dor sobre o que outros lhes fizeram. Nosso objetivo é ajudá-los a superar essas experiências dolorosas. Em vez de fazer as pessoas sofrerem pelo que fizeram, nós as desafiamos a investir a vida ajudando os outros. Quando devolvemos mal com mal e ferimos as pessoas que nos feriram, deixamos o mundo ainda mais sombrio. Entretanto, se retribuímos mal com bem, fazemos do mundo um lugar melhor. Ambos estivemos na África e em muitas nações buscando levar a mensagem do poder do amor para mudar o mundo. E ambos encontramos a verdadeira felicidade que o dr. Schweitzer mencionou. Esse é o nosso desejo para você.

Você é jovem e tem o mundo inteiro pela frente. A atitude que você escolher determinará como investirá sua vida. Você pode devolver ódio com ódio, ou pode escolher o amor. Pode tomar decisões que prejudicam os outros, ou pode tomar decisões que os ajudam. É por isso que temos tanta esperança de que você tome a decisão sábia de investir sua vida na ajuda aos outros.

Eu (Clarence) devo admitir que servir aos outros foi um conceito estranho para mim até meus 20 anos de idade, quando fiquei sem teto e sem fonte de renda por causa do meu egoísmo, minha preguiça e meu orgulho. Lembre-se de que fui jubilado da faculdade por causa da minha arrogância em tentar vencer o sistema.

MEU FRACASSO: A PORTA DOS FUNDOS PARA O SUCESSO

Felizmente, um amigo da faculdade pediu ao Centro da Juventude Evangélica de Chicago que me contratasse. O Centro ficava numa região de Chicago onde viviam muitos desabrigados. Eles estavam lutando contra o vício do álcool e das drogas e tinham perdido tudo. O Centro era um depósito velho. Alguns empresários o haviam reformado tornando-o um lugar seguro para jovens negros que não tinham para onde ir. A direção me contratou por trinta dólares por semana, o que incluía um quarto no vestiário do Centro. Meu trabalho consistia em treinar rapazes e garotas do ensino fundamental e médio no basquete e dirigir o programa da organização cristã de discipulado Awana.

DESCOBRINDO AS CHAVES DO SUCESSO

Meu novo cargo me deu autoridade sobre os jovens. Ainda assim, eles se relacionavam facilmente comigo, pois eu era mais novo e bom no basquete. Trabalhar com esses jovens abriu meus olhos para a vida difícil que muitos deles levavam longe do Centro. Para muitos, o Centro era um santuário momentâneo em relação à vida real. Aproximadamente quinhentos jovens vinham semanalmente ao Centro, que ficava aberto de segunda a sexta-feira. Era um lugar seguro: não era permitido agredir, brigar ou profanar. Muitos desses jovens vinham de famílias em que só um dos pais estava presente e eram incríveis, tão cheios de vida! A maioria não tinha uma atitude negativa.

Logo comecei a fazer mais do que meu trabalho exigia. Esses moços e moças pareciam ser meus irmãos e irmãs mais novos. Absorviam meu amor por eles como esponjas. Conforme as oportunidades surgiam, eu lhes ensinava lições de vida. Por exemplo, dois rapazes de 15 anos de bairros rivais entraram numa discussão que estava quase se tornando violenta. Um estava prestes a bater no outro com um taco de bilhar. Eu me interpus entre eles. Sentei-me com os dois e expliquei o quadro geral de uma briga: ninguém ganha no longo prazo porque quem perde geralmente quer vingança, e então essas altercações físicas aumentam e não raro alguém perde a vida. Nenhum deles gostou da ideia de morrer por um desentendimento bobo, então se tornaram amigos — escolha sábia! O jovem que pegou o taco de bilhar foi suspenso do Centro por três dias. Voltou uma pessoa mais feliz depois de sua suspensão.

Nas sextas-feiras à noite, eu convidava o time masculino para passar a noite no Centro e depois os levava para o jogo no sábado de manhã. Íamos à minha pizzaria favorita toda sexta-feira à noite. Eu não tinha muito dinheiro, mas comprava pizza e refrigerantes para todos os rapazes. Para ter essa experiência, eles tinham de completar suas lições de vida na sexta-feira à noite.

Todos os rapazes de 12 a 14 anos queriam fazer parte dessa equipe. A coisa mais difícil que tive de fazer foi escolher os rapazes durante os treinamentos. Estive lá por mais de um ano, e alguns dos que não fizeram parte do time no primeiro ano conseguiram no segundo. Essa foi uma das lições de vida que procurei ensinar: Quando as coisas não derem certo na primeira tentativa, não desista. Thomas Edison criou a lâmpada elétrica, mas foram necessárias mais de dez mil tentativas antes que ele visse a luz. Quando perguntado sobre todo o seu "fracasso" e por que nunca havia desistido, ele disse: "Eu não fracassei. Na verdade, descobri dez mil modos pelos quais a lâmpada não funciona".[2] Você deve aprender a trabalhar mais duro e de modo mais inteligente se realmente quiser algo. Para muitos dos jovens, eu me tornei seu irmão mais velho. Eu não tinha um irmão mais novo, então esses relacionamentos também se tornaram especiais para mim. Eu achava que estava ajudando os jovens, mas na realidade eles também me ajudavam. Ensinaram-me a ser menos egoísta e a aprender a cuidar dos outros, especialmente dos menos afortunados que eu. Apesar de receber apenas trinta dólares por semana, eu era incrivelmente rico em meus relacionamentos.

Na época em que eu trabalhava no Centro, havia ali outro funcionário, um veterano da Guerra do Vietnã. Ele era um homem incrível e poderia ter trabalhado em qualquer lugar, mas escolheu ser funcionário do Centro para ajudar aqueles jovens. Ele também se tornou meu irmão mais velho. Sua humildade e exemplo de dedicação foram uma lição de vida para mim.

Muitos anos se passaram desde que trabalhei no Centro. Tive o prazer de ver alguns desses jovens como adultos. Muitos se tornaram bem-sucedidos na vida, casados e com filhos, graduados, pastores, professores universitários, personalidades da mídia e muito mais. Um deles, que não foi escolhido para o time de basquete no primeiro ano, mas sim no segundo, agora é um empresário bem-sucedido. Ele também treina times de basquete masculino do ensino médio e envia alguns candidatos para disputar a liga universitária.

Alguns anos depois eu estava numa posição semelhante na área de Washington, DC. Lá eu trabalhava com os pobres e os ricos. Durante alguns dias eu levava os pobres para os serviços sociais, e em outros vestia terno e gravata e conversava com políticos. Em ambos os ambientes, eu procurava ajudar outras pessoas.

Eu (Gary) tinha as sementes do amor ao próximo plantadas em minha mente desde criança. Lembro-me de minha mãe preparando refeições para os outros. Lembro-me de meu pai cortando a grama dos vizinhos quando o pai daquela família estava no hospital. Cresci numa igreja que enfatizava os ensinamentos de Jesus, que dizia sobre si mesmo: "Não vim para ser servido, mas para servir". Aqueles que conheciam melhor a Jesus diziam: "Ele veio para fazer o bem". Sempre fui grato pela ênfase em ajudar os outros, que fez parte da minha adolescência.

Anos mais tarde, quando tive filhos, quis que eles aprendessem a satisfação de servir aos outros. Durante a adolescência, eu os levava comigo para que varressem as folhas da residência de casais idosos que não eram capazes de fazê-lo sozinhos. Eu batia à porta e dizia: "Olá, eu sou Gary Chapman e estou tentando ensinar meus filhos a servir aos outros. Gostaríamos de varrer suas folhas, se vocês nos derem permissão". Às vezes nos ofereciam para nos pagar. Eu dizia: "Obrigado, mas não queremos pagamento. Queremos somente uma oportunidade para ajudá-lo". Eles sempre expressavam profundo apreço.

Eu levava meu filho nas noites de sábado ao centro de detenção juvenil e jogávamos pingue-pongue com os adolescentes de lá, que sempre se mostravam surpresos por qualquer pessoa passar um tempo com eles. Agora, como um homem mais velho, fico muito satisfeito em observar meu filho e minha filha investindo a vida em ajudar os outros.

Uma das alegrias que experimentamos como conselheiros é ajudar as pessoas a mudar de vida, removendo padrões de comportamento destrutivos e aprendendo a alegria de servir. Quando os vemos investindo a vida na ajuda aos outros, sabemos que o tempo que passamos com eles em aconselhamento valeu a pena. Alguns pensam que não têm nada a oferecer aos outros, mas todos nós temos certos conhecimentos e habilidades que podem ser usados para ajudar as pessoas.

Ao considerar quem são os adultos e os adolescentes que você admira e permite que tenham grande influência em sua vida, pense no seguinte: **Essas pessoas servem aos outros de forma consistente ou apenas procuram servir a si próprias?** Quando você usa o "serviço aos outros" como diretriz para escolher seus mentores e melhores amigos, então pode ter certeza de que será treinado e motivado positivamente para servir aos outros e deixar o mundo um lugar melhor do que você o encontrou, por causa de seus mentores.

MUDANDO O MUNDO À SUA VOLTA PARA MELHOR

Acreditamos que a maioria das pessoas quer ser amada e reage positivamente quando tratadas com gentileza. Você pode ser um pacificador e fazer a diferença simplesmente ao procurar servir às pessoas sem esperar nada em troca. Pode literalmente mudar seu mundo ao investir sua vida na ajuda aos outros.

Ajudar os outros é como passar da posição de ala para a de armador. Enquanto o ala está focado principalmente em marcar pontos, o armador deve estar atento ao bem-estar mental e físico de toda a equipe. Armadores eficazes colocam o sucesso do time acima deles próprios. A satisfação de ajudar os outros a ter sucesso é sempre mais gratificante do que promover a si mesmo.

FORMAS PRÁTICAS DE SERVIR

Uma maneira prática de servir aos outros seria ajudar um novo aluno a se ambientar em sua escola. Outra opção seria apresentar o novo aluno a seus amigos. Ir para uma nova escola já pode ser bastante inquietante por si só, ainda mais sem amigos.

Considere a ideia de ser propositadamente simpático com um rapaz impopular na escola. Talvez você possa almoçar com ele (ou convidá-lo a conversar com você e seus amigos), caminhar com ele pelo corredor, incluí-lo quando sair com seus amigos, ou pedir a um deles que também seja gentil com o rapaz.

Há alguém em sua vizinhança, talvez um idoso, que você possa ajudar de alguma forma? Com trabalho de jardinagem ou outros afazeres? Enquanto estiver ajudando esse idoso, não se surpreenda com a sabedoria de vida que pode receber.

Você também pode servir a seus pais, ajudando com alguma coisa em casa. Talvez esse seja um pensamento assustador, porque seus pais poderão pensar que você não está fazendo nada além de sua obrigação, mas pense como isso os surpreenderia e, por favor, ajude quem você ama.

Se você tem irmãos, poderia até mesmo ajudá-los. É claro que talvez eles desmaiem de susto com algo tão inesperado!

Se você pensar um pouco, provavelmente encontrará muitas maneiras práticas de servir a outras pessoas que interagem com você.

Nossa cultura muitas vezes comunica que o sucesso consiste em ser rico e famoso. Se esse for seu objetivo, fique avisado: **nenhuma quantidade de riqueza e nenhum nível de fama**

jamais trarão satisfação duradoura. Não há nada de errado em ganhar dinheiro, nem em se tornar famoso. Mas essas coisas não trazem a maior felicidade da vida. A felicidade é verdadeiramente encontrada quando servimos aos outros. Se você se tornar rico e/ou famoso, nosso desafio é que você use sua riqueza e fama para ajudar as pessoas.

PERGUNTE A SI MESMO...

1. O que você acha da ideia de servir aos outros para encontrar mais sentido em sua própria vida?
2. Você já lutou contra seu egoísmo? O que seu(s) pai(s) diria(m)? Se você tiver irmãos, o que eles diriam? E por quê?
3. Você se lembra de alguma vez em que serviu a alguém que não pôde lhe pagar? Em caso afirmativo, como você se sentiu?
4. Você consegue pensar em pessoas a quem poderia servir? Consideraria ajudar alguém esta semana?
5. Você acha que sua escola seria melhor se mais pessoas se concentrassem em servir aos outros?
6. Como você acha que ajudar os outros afetaria você?

11

Escolha descobrir a verdade sobre Deus

Será que aquilo em que uma pessoa acredita sobre Deus realmente importa? Acreditamos que seja algo de suma importância. Existem muitas religiões no mundo, mas nem todas poderiam ser verdadeiras por uma simples razão: suas crenças muitas vezes se contradizem umas às outras. Como seres humanos, não escolhemos o país em que nascemos, nem escolhemos nossos pais. Em geral nossos pais nos ensinam o que eles acreditam ser verdade sobre Deus. Por confiarmos neles, tendemos a acreditar no que dizem ser verdade. Entretanto, na adolescência, quando desenvolvemos nossas habilidades de pensar logicamente, começamos a questionar se o que nos foi ensinado é mesmo verdadeiro. Por fim, decidiremos se acreditamos no que nossos pais nos ensinaram, ou em alguma outra visão sobre Deus.

Clarence e eu (Gary) tivemos pais que nos levavam a igrejas cristãs todos os domingos. Ensinaram-nos o ponto de vista cristão sobre Deus. Acreditávamos que Deus criou os céus e a terra, e que ele também criou a vida vegetal e animal. Mas em relação aos seres humanos ele nos criou homem e mulher à sua própria imagem, o que significa que somos muito diferentes dos outros animais. Temos a capacidade de pensar, raciocinar, tomar decisões e ter um relacionamento com o Deus que nos criou. Ensinaram-nos que Deus tinha um propósito para a existência de cada pessoa e que ele quer que cumpramos seu propósito neste mundo e passemos a eternidade com ele após a morte num lugar chamado céu.

JESUS: "FOI POR TODA PARTE FAZENDO O BEM"

No entanto, crescer em um lar cristão não nos fez cristãos. Essa era uma decisão que cada um de nós teria de tomar individualmente. Clarence tomou essa decisão aos 16 anos. Eu a tomei um pouco mais cedo. Nossa decisão se baseou principalmente na vida e nos ensinamentos de Jesus. Nenhum homem na história jamais igualou a vida e os ensinamentos de Jesus. O resumo de sua vida em uma frase poderia ser: "Jesus foi por toda parte fazendo o bem" (At 10.38). Curou doentes, fez cegos enxergarem, surdos ouvirem e ressuscitou pessoas mortas. Foi mais do que um simples homem, pois nenhum homem pôde fazer as coisas que ele fez. Embora tenha sido morto por soldados romanos, ele disse sobre sua vida: "Ninguém a tira de mim, mas eu mesmo a dou" (Jo 10.18). Aqueles que o assassinaram pensavam que estavam acabando com sua vida, mas na realidade, três dias após ter sido colocado na sepultura, Jesus ressuscitou dos mortos e apareceu por mais de quarenta dias a mais de quinhentas pessoas. A todos que nele acreditavam, prometeu que também viveriam além da sepultura.

Nós dois ficamos fascinados pela vida de Jesus, seus ensinamentos, sua morte e ressurreição. Tornamo-nos seguidores de Jesus. Foi a decisão mais sábia que já tomamos. Ao estudar sua vida e seus ensinamentos, ganhamos grande sabedoria, que nos ajudou a tomar todas as decisões que já tomamos. Sabedoria que nos deu um propósito de vida. Sabedoria que nos motiva a continuar a investir a vida em ajudar as pessoas.

Sabemos que existem muitas religiões no mundo. Isso evidencia a realidade de que no fundo do coração e da mente humana reside a crença de que há algo além do mundo físico, do que pode ser visto, tocado e sentido. A religião é a tentativa humana de encontrar esse mundo sobrenatural.

A maioria das religiões do mundo tem um ponto em comum. Elas desenvolveram um sistema do que devemos fazer para obter sabedoria sobrenatural. O cristianismo é bem diferente. Os cristãos acreditam que Deus inicia um relacionamento conosco em vez de procurarmos nós encontrar um deus desconhecido. Deus, o Criador, nos alcançou na pessoa de Jesus Cristo, seu Filho. Quando nos tornamos seguidores de Cristo nos tornamos filhos de Deus, e temos a certeza do perdão de todos os nossos erros e da dádiva da vida eterna com ele. É verdade que procuramos seguir os ensinamentos de Jesus em nosso estilo de vida cotidiano, mas não é para sermos aceitos por Deus. É porque fomos aceitos por ele e porque nosso profundo desejo é agradá-lo, pois sabemos que, ao seguir seus ensinamentos, realizaremos o maior bem de nossa vida.

Em sua adolescência, você provavelmente decidirá no que acreditará sobre Deus, e isso terá grande influência sobre o tipo de homem que você se tornará. **Acreditamos que essa decisão será a mais importante de sua vida.** Ela afetará profundamente suas outras decisões. O autor e teólogo A. W. Tozer escreveu certa vez: "O que vem à nossa mente quando pensamos em Deus é a coisa mais importante a nosso respeito".[1]

Se você quiser explorar a visão cristã de Deus, a maneira mais fácil é adquirir uma Bíblia e ler os relatos da vida, dos ensinamentos, da morte e ressurreição de Jesus. São os livros do Novo Testamento: Mateus, Marcos, Lucas, e João. Se deseja conhecer outras religiões do mundo e como elas se comparam ao cristianismo, o que achamos que seja saudável fazer, recomendamos que busque seu pai ou sua mãe, ou ainda um amigo confiável. Aquilo em que você acredita sobre Deus é uma decisão pessoal que ninguém pode impor, e a nosso ver é a decisão mais importante de sua vida.

PERGUNTE A SI MESMO...

1. Você acha que é realmente importante aquilo em que uma pessoa acredita sobre Deus? Por quê?
2. O que seus pais ou responsáveis acreditam sobre Deus? Você estaria disposto a falar com eles sobre isso?
3. Você tem um exemplar da Bíblia? Se não tiver, você pediria a seus pais ou a alguém de sua confiança que lhe arranjasse um exemplar?
4. Você estaria disposto a ler sobre a vida e os ensinamentos de Jesus encontrados em Mateus, Marcos, Lucas e João na Bíblia?
5. Se você ler a esse respeito, faça uma lista das coisas que Jesus nos ensinou a fazer. E faça outra lista das coisas que ele nos ensinou a não fazer.
6. Os ensinamentos de Jesus nos foram dados porque ele nos ama e quer que tenhamos uma vida grandiosa. Você procurará seguir os ensinamentos de Jesus?

CONCLUSÃO

Escolha viver fazendo boas perguntas

Discutimos onze decisões importantes que você tomará enquanto jovem. Nós lhe oferecemos as razões pelas quais achamos que essas decisões são tão importantes. Queremos que você tenha uma vida grandiosa e que alcance seu potencial para o bem no mundo. Essas decisões são a base para uma vida produtiva e significativa.

Entretanto, você tomará centenas de outras decisões nos próximos anos. As decisões são parte necessária da vida. Você toma dezenas de decisões todos os dias. Algumas delas são simples, tais como: "Que roupa usarei hoje?". Outras terão consequências muito maiores, tais como: "Entrarei no carro se souber que o motorista está sob efeito de maconha?".

Portanto, pensamos que seria útil dar-lhe uma lista de perguntas que você pode fazer quando confrontado com uma decisão difícil. Leia estas perguntas até que elas se tornem parte do seu processo normal de pensamento, e acreditamos que assim você tomará decisões corajosas e sábias.

- Isso terá efeito negativo ou positivo sobre minha saúde?
- Como isso afetará minha capacidade de pensar com clareza?
- Como essa decisão impactará meus pais ou outros adultos que cuidam de mim?

- Essa decisão é ilegal?
- Essa decisão é moralmente correta ou incorreta?
- Como essa decisão afetará meus irmãos?
- Estou sendo influenciado por outros a fazer algo que na verdade não quero fazer?
- Será que vou defender o que sei que é certo em vez de ceder à pressão dos outros?
- Como essa decisão afetará minha educação futura?
- Essa decisão é coerente com o que acredito sobre Deus?
- Estarei feliz por ter tomado essa decisão daqui a cinco anos?
- Essa decisão ajudará a me tornar a pessoa que quero ser?

Fazer essas perguntas o ajudará a avaliar as consequências de suas escolhas. Toda decisão tem consequências, boas ou ruins. Queremos que você tenha o benefício de tomar decisões sábias.

Pode haver pessoas que tentarão persuadi-lo a fazer coisas que você sabe que não são sábias. Esperamos que tenha a coragem de fazer o que é certo, bom e sadio e não permitir que outros o conduzam por um caminho negativo.

Esperamos que tenha tido o benefício de ler este livro com um dos pais ou um adulto de confiança. Se assim foi, esperamos que recorra a eles quando precisar de ajuda para tomar uma decisão sábia. Mais uma vez, lembramos que as decisões que você tomar agora determinarão em grande parte a qualidade de vida que você terá como adulto.

Nós acreditamos em você. Vemos você como uma pessoa de grande valor. Esperamos um dia ver algumas das coisas boas que você realizará na vida. Acreditamos que você pode ter uma VIDA GRANDIOSA.

Agradecimentos

Somos profundamente gratos a nossos pais, que muito se esforçaram para nos encorajar a tomar decisões sábias. Agradecemos também a nossos professores, que nos desafiaram a buscar conhecimento antes de tomar decisões.

Como sempre, a equipe da Northfield Publishing, Betsey Newenhuyse, Randall Payleitner, John Hinkley e outros ajudaram a ajustar nosso foco. Obrigado a Michael DiMarco por sua inestimável assistência editorial.

Notas

Introdução

[1] Deborah Tannen, *The Argument Culture: Stopping America's War of Words* (New York: Ballantine Books, 1999).

1ª decisão sábia

[1] William Pollack, *Real Boys: Rescuing Our Sons from the Myths of Boyhood* (New York: Random House, 1998).

[2] Saiba mais em Roger Clegg, "Latest Statistics on Out-of-Wedlock Births", National Review, 11 de outubro de 2013, <http://www.nationalreview.com/corner/360990/latest-statistics-out-wedlock-births-roger-clegg>.

[3] "Statistics", *The Fatherless Generation*, <https://thefatherlessgeneration.wordpress.com/statistics/>.

[4] David Leonhardt, "A one-question quiz on the poverty trap", *New York Times*, 4 de outubro de 2018, <https://www.nytimes.com/2018/10/04/opinion/child-poverty-family-income-neighborhood.htm>.

2ª decisão sábia

[1] Ben Carson e Cecil Murphey, *Ben Carson: o menino pobre que se tornou neurocirurgião de fama mundial* (Tatuí, SP: Casa Publicadora Brasileira, 2013).

[2] "Weekly earnings by educational attainment in second quarter 2018", Bureau of Labor Statistics, U.S. Department of Labor, *The Economics Daily*, 20 de julho de 2018, <https://www.bls.gov/opub/ted/2018/weekly-earnings-by-educational-attainment-in-second-quarter-2018.htm>.

[3] "Unemployment rate 2.5 percent for college grads, 7.7 percent for high school dropouts, January 2017", Bureau of Labor Statistics, U.S. Department of Labor, *The Economics Daily*, 7 de fevereiro de 2017, <https://www.bls.gov/opub/ted/2017/unemployment-rate-2-

point-5-percent-for-college-grads-7-point-7-percent-for-high-school-dropouts-january-2017.htm>.
[4] "High School Dropouts in Chicago and Illinois: The Growing Labor Market, Income, Civic, Social and Fiscal Costs of Dropping Out of High School", por Andrew Sum et al., Center for Labor Market Studies, Northeastern University, <https://repository.library.northeastern.edu/downloads/neu:376384?datastream_id=content>.

3ª decisão sábia

[1] "FAQs", Net Addiction, <http://netaddiction.com/faqs/>.
[2] Ben Carson, *BrainyQuote*, <https://www.brainyquote.com/quotes/ben_cason_490191>.
[3] Thomas Edison, citado em Kevin Daum, "37 Quotes From Thomas Edison That Will Inspire Success", *Inc.*, <https://www.inc.com/kevin-daum/37-quotes-from-thomas-edison-that-will-bring-out-your-best.htm>. Acesso em 11 de fevereiro de 2016.

4ª decisão sábia

[1] Abraham Lincoln, citado em Russ Crosson, *Your Life … Well Spent* (Eugene, OR: Harvest House Publishers, 2012), p. 149.

6ª decisão sábia

[1] Gail Bolan, "Foreword", "2016 Sexually Transmitted Diseases Surveillance", Centers for Disease Control and Prevention, última revisão em 26 de setembro de 2017, <https://www.cdc.gov/std/stats16/foreword.htm>.
[2] "CDC Fact Sheet: Information for Teens and Young Adults: Staying Healthy and Preventing STDs", Centers for Disease Control and Prevention, última atualização em 5 de dezembro de 2017, <https://www.cdc.gov/std/life-stages-populations/stdfact-teens.htm>.
[3] "HIV Among Youth in the US", Centers for Disease Control and Prevention, última atualização em 8 de janeiro de 2013, <https://www.cdc.gov/vitalsigns/hiv amongyouth/index.html>.
[4] "Syphilis - CDC Fact Sheet", Centers for Disease Control and Prevention, última atualização em 13 de junho de 2017, <https://www.cdc.gov/std/syphilis/stdfact-syphilis.htm>.

[5] “Gonorrhea - CDC Fact Sheet”, Centers for Disease Control and Prevention, última atualização em 4 de outubro de 2017, <https://www.cdc.gov/std/gonorrhea/stdfact-gonorrhea.htm>.
[6] “Genital HPV Infection - Fact Sheet”, Centers for Disease Control and Prevention, última atualização em 16 de novembro de 2017, <https://www.cdc.gov/std/hpv/stdfact-hpv.htm>.
[7] “Genital Herpes - CDC Fact Sheet”, Centers for Disease Control and Prevention, última atualização em 1º de setembro de 2017, <https://www.cdc.gov/std/herpes/stdfact-herpes.htm>.
[8] “Adolescents and Young Adults”, Centers for Disease Control and Prevention, última atualização em 8 de dezembro de 2017, <https://www.cdc.gov/std/life-stages-populations/adolescents-youngadults.htm>.
[9] “CDC Fact Sheet: Information for Teens and YoungAdults: Staying Healthy and Preventing STDs”, Centers for Disease Control and Prevention, última atualização em 5 de dezembro de 2017,: <https://www.cdc.gov/std/life-stages-populations/stdfact-teens.htm>.

8ª decisão sábia

[1] “Important facts on teen smoking” *Step Up of St. Louis*, <https://www.stepupstl.org/resources>.
[2] “Short and Long Term Effects”, <www2.courtinfo.ca.gov/stopteendui/teens/resources/substances/marijuana/short-and-long-term-effects.cfm>.
[3] Bill Briggs, “Colorado Marijuana Study Finds Legal Weed Contains Potent THC Levels”, CNBC, 23 de março de 2015, <https://www.cnbc.com/2015/03/23/colorado-marijuana-study-finds-legal-weed-contains-potent-thc-levels.html>.

10ª decisão sábia

[1] Albert Schweitzer, *BrainyQuote*, <https://www.brainyquote.com/quotes/albert_schweitzer_387027>.
[2] Thomas Edison, *BrainyQuote*, <https://www.brainyquote.com/quotes/thomas_a_edison_132683>.

11ª decisão sábia

[1] A. W. Tozer, *The Knowledge of the Holy* (New York: Harper Collins), 1978), p. 1.

Compartilhe suas impressões de leitura,
mencionando o título da obra, pelo e-mail
opiniao-do-leitor@mundocristao.com.br
ou por nossas redes sociais

Esta obra foi composta com tipografia Adobe Caslon Pro e Europa
e impressa em papel Pólen Natural 70 g/m² na gráfica Imprensa da Fé